STEPHEN KING

KING

CARRIE

**Przełożyła
Danuta Górska**

Prószyński i S-ka

Tytuł oryginału:
CARRIE

Copyright © 1974 by Stephen King
Published by arrangement with Doubleday, a division of
The Doubleday Broadway Publishing Group,
a division of Random House, Inc.
All Rights Reserved

Projekt okładki: Ewa Wójcik

Ilustracja na okładce: Jacek Kopalski

Redaktor serii: Renata Smolińska

Redakcja: Jacek Ring

Korekta: Michał Załuska
        Dorota Wojciechowska

Redakcja techniczna: Elżbieta Urbańska

Łamanie: Małgorzata Wnuk

ISBN 978-83-7469-601-2

Wydawca:
Prószyński i S-ka SA
ul. Garażowa 7, 02-651 Warszawa
www.proszynski.pl

Druk i oprawa:
ABEDIK S.A.
ul. Ługańska 1, 61-311 Poznań

Dla Tabby, która mnie w to wpakowała
– a potem mnie z tego wyciągnęła

CZĘŚĆ PIERWSZA

Krew

Notatka zamieszczona w tygodniku „Enterprise", ukazującym się w Westover, w stanie Maine, 19 sierpnia 1966 roku:

DESZCZ KAMIENI

17 sierpnia w miejscowości Chamberlain na Carlin Street z czystego, bezchmurnego nieba runął znienacka deszcz kamieni. Fakt ten potwierdziło wiele godnych zaufania osób. Kamienie spadły głównie na dom pani Margaret White, poważnie uszkodziły dach oraz zniszczyły dwie rynny i odpływ wody wartości około 25 dolarów. Pani White jest wdową i mieszka ze swoją trzyletnią córeczką, Cariettą.
Pani White odmówiła udzielenia wywiadu.

W głębi duszy tam, gdzie lęgną się najdziksze myśli, żadna nie była tak naprawdę zdziwiona, kiedy to się stało. Pozornie jednak wszystkie wydawały się zaszokowane, przerażone, zawstydzone albo po prostu zadowolone, że ta dziwka White znowu dostała po nosie. Niektóre nawet przysięgały, że nie spodziewały się niczego, ale oczywiście to była nieprawda. Większość chodziła z Carrie do szkoły od pierwszej klasy i przez cały ten czas to w nich narastało, powoli i niezmiennie, zgodnie z prawami rządzącymi ludzką naturą, nieuchronnie niczym niekontrolowana reakcja łańcuchowa.
Żadna z nich oczywiście nie wiedziała, że Carrie White ma zdolności telekinetyczne.

Napis wydrapany na ławce w szkole podstawowej na Barker Street w Chamberlain:

„Carrie White ma nasrane w głowie".

Szatnię wypełniały krzyki, echa i dochodzący jakby spod ziemi szum wody rozbijającej się o kafelki. Na pierwszej lekcji dziewczęta grały w siatkówkę i w powietrzu unosił się lekki, ostry zapach potu.

Dziewczęta wierciły się i popychały pod gorącym prysznicem, piszczały, pryskały wodą, podawały sobie z ręki do ręki śliskie białe kawałki mydła. Carrie stała między nimi bez ruchu – ropucha wśród łabędzi. Była niezgrabną, przysadzistą dziewczyną z pryszczami na szyi, plecach i pośladkach. Mokre, kompletnie pozbawione koloru włosy uparcie lepiły jej się do twarzy. Stała nieruchomo, z lekko pochyloną głową, biernie pozwalając, żeby woda spływała po jej ciele. Wyglądała jak typowy kozioł ofiarny, stały cel dowcipów, klasowe pośmiewisko, wiecznie nabierana, oszukiwana i upokarzana – i rzeczywiście taka była. Od dawna już rozpaczliwie pragnęła, żeby szkoła im. Ewena miała pojedyncze – a więc oddzielne – prysznice, jak inne szkoły średnie w Andover czy Boxford. Bo dziewczyny gapiły się na nią. Zawsze się na nią gapiły.

Dziewczęta jedna po drugiej zakręcały prysznice, wychodziły, ściągały pastelowe czepki, wycierały się, spryskiwały dezodorantami, sprawdzały godzinę na zegarze wiszącym nad drzwiami. Wciągały majtki, zapinały biustonosze. W powietrzu unosiła się para; pomieszczenie wyglądałoby zupełnie jak łaźnia egipska, gdyby nie stojące w rogu jacuzzi do wodnych masaży, które wydawało donośny, bezustanny szum. Krzyki i gwizdy śmigały w powietrzu i odbijały się od siebie jak rozpędzone kule bilardowe.

– ...i Tommy powiedział, że wyglądam w tym okropnie, a ja...
– ...idę z siostrą i z jej mężem. On dłubie w nosie, no, ale ona też, więc są bardzo...
– ...prysznic po szkole i...
– ...niewarte złamanego grosza, więc Cindi i ja...

Panna Desjardin, szczupła, o małym biuście nauczycielka gimnastyki, weszła szybko do środka, rozejrzała się dookoła i klasnęła w dłonie odmierzonym, eleganckim gestem.

– Na co ty czekasz, Carrie? Chcesz tak stać do sądnego dnia? Za pięć minut dzwonek. – Panna Desjardin miała na sobie oślepiająco białe szorty; jej nogi, niezbyt krągłe, w miarę umięśnione, przyciągały wzrok. Na piersiach dyndał jej srebrny gwizdek, zdobyty w zawodach łuczniczych podczas studiów.

Dziewczęta zachichotały. Carrie powoli podniosła wzrok, oślepiona przez parę i silnie bijący strumień wody.

– Ehem?

Ten dziwaczny żabi dźwięk pasował do niej w jakiś groteskowy sposób i dziewczęta ponownie zachichotały. Sue Snell zerwała ręcznik z głowy z szybkością prestidigitatora dokonującego magicznej sztuczki i pospiesznie zaczęła się czesać. Panna Desjardin popatrzyła na Carrie, zrobiła dziwny, pełen irytacji gest i wyszła.

Carrie zakręciła prysznic. W rurach zabulgotało, kapnęło jeszcze kilka kropel i woda przestała lecieć.

Dopiero kiedy wyszła spod natrysku, zobaczyły, że po jej nodze spływa strumyczek krwi.

David R. Congress, *Nadejście cienia. Udokumentowane fakty i szczegółowe wnioski dotyczące przypadku Carietty White*, Tulane University Press, 1981 (s. 34):

Fakt, że w dzieciństwie i latach szkolnych Carietty White nie zanotowano żadnych przypadków telekinezy, bez wątpienia można wytłumaczyć, powołując się na wnioski zawarte w opracowaniu White'a i Stearnsa „Telekineza: Nawrót samorodnego talentu". Autorzy ci wyjaśniają, iż zdolność poruszania przedmiotów wyłącznie siłą woli ujawnia się jedynie w chwilach krańcowego napięcia. Istotnie zdolności te są głęboko ukryte; to dlatego pozostawały ignorowane przez całe stulecia, a my widzieliśmy jedynie sam wierzchołek góry lodowej, pływającej w morzu szarlatanerii i przesądów.

Fundację naszą założyliśmy, opierając się wyłącznie na skąpych informacjach z drugiej ręki, ale nawet one wystarczą, aby wykazać, iż Carrie White miała zdolności TK o wyjątkowej mocy. Najbardziej niepokojący jest fakt, że większość ludzi traktuje te doniesienia jak zwykłą kaczkę dziennikarską...

– O-kres!

Pierwsza zaczęła wrzeszczeć Chris Hargensen. Wrzask uderzył w wykładane kafelkami ściany, odbił się od nich i powrócił jak echo. Sue Snell mimo woli parsknęła śmiechem. Ogarnęły ją mieszane uczucia: złość, odraza, irytacja, współczucie. Carrie wyglądała po prostu idiotycznie, kiedy tak stała, nie rozumiejąc, o co chodzi. Boże, można by pomyśleć, że ona nigdy...

– O-KRES!

Skandowane okrzyki zaczynały brzmieć jak rytmiczny zaśpiew. Z tyłu któraś z dziewcząt (pewnie znowu Hargensen, ale w narastającym zgiełku Sue nie mogła rozpoznać głosu) wrzeszczała ze wszystkich sił ochryple: „Zatkaj sobie!".

– O-KRES, O-KRES, O-KRES!

Carrie stała biernie wewnątrz otaczającego ją kręgu dziewcząt. Na jej skórze połyskiwały krople wody. Stała nieruchomo jak cierpliwy wół, rozumiejąc, że sobie z niej kpią (jak zawsze), na swój tępy sposób zakłopotana, ale nie zdziwiona.

Kiedy pierwsze ciemne krople menstruacyjnej krwi zaczęły kapać na kafelki podłogi, zostawiając plamy wielkości dziesięciocentówki, Sue poczuła gwałtowne obrzydzenie.

– Na litość boską, Carrie, dostałaś okresu! – krzyknęła. – Umyj się!

– Ehem?

Carrie rozejrzała się ociężale. Mokre włosy oblepiały jej policzki jak hełm. Na jednym ramieniu widać było zaognione skupisko trądziku. W wieku szesnastu lat w jej oczach pojawił się już wyraz bólu – nieuchwytny, a przecież wyraźny.

– Ona myśli, że to od szminki! – wrzasnęła nagle Ruth Gogan z powstrzymywaną wesołością, a potem wybuchnęła piskliwym śmiechem. Sue przypomniała sobie później te słowa i włączyła je do ogólnego obrazu wydarzeń, ale w tej chwili były dla niej tylko jeszcze jednym bezsensownym dźwiękiem potęgującym zamieszanie. Szesnaście lat? – myślała. Przecież ona musi sobie zdawać sprawę, co się dzieje, ona...

Krwi na podłodze przybywało. Carrie w dalszym ciągu spoglądała zdezorientowana na swoje koleżanki, mrugając oczami. Helen Shyres obróciła się na pięcie i zrobiła ruch, jakby czymś rzucała.

– Ty krwawisz! – krzyknęła nagle Sue z wściekłością. – Ty krwawisz, głupia baryło!

Carrie spuściła wzrok.

Wrzasnęła.

W ciasnym, zaparowanym pomieszczeniu krzyk zabrzmiał bardzo głośno.

Tampon przeleciał w powietrzu, trafił ją w klatkę piersiową i upadł z plaśnięciem u jej stóp. Higroskopijna wata natychmiast zaczęła wchłaniać krew i rozwinęła się jak czerwony kwiat.

Wtedy śmiech – wzgardliwy, zaszokowany, pełen niesmaku – rozbrzmiał z nową siłą, pojawiły się w nim brzydkie nuty i dziewczęta, nie panując już nad sobą, zaczęły bombardować Carrie tamponami i podpaskami wyciąganymi z torebek i z zepsutego pojemnika na ścianie. Tampony fruwały w powietrzu jak śnieg, a dziewczęta śpiewały:

– Zatkaj sobie, zatkaj sobie, zatkaj sobie, zatkaj...

Sue również rzucała, rzucała i śpiewała razem z innymi, nie całkiem zdając sobie sprawę z tego, co robi – magiczne słowa płonęły w jej myślach jak neonowa reklama: To nic takiego, naprawdę nic takiego, naprawdę nic takiego... Wciąż jeszcze jaśniały uspokajająco, kiedy Carrie nagle zawyła i zaczęła się cofać, wymachując rękami, jęcząc i bełkocząc.

Dziewczęta zamilkły: zrozumiały, że w końcu doprowadziły do wybuchu. To właśnie od tej chwili niektóre z nich miały przysięgać, że niczego się nie spodziewały. A przecież dobrze pamiętały te wszystkie lata, kiedy się mówiło na obozie młodzieży chrześcijańskiej: chodź, skotłujemy Carrie prześcieradła, znalazłam miłosny list Carrie do Flasha Boba Picketta, zrobimy kopię i pokażemy wszystkim, schowamy jej majtki, włożymy jej węża do buta i znowu ją załatwimy, znowu ją załatwimy; Carrie uparcie

13

wlokąca się w ogonie na wycieczkach rowerowych, w jednym roku znana jako baryła, w następnym jako klucha, zawsze śmierdząca potem, zawsze z tyłu za innymi, a kiedy się załatwiała w krzakach, poparzyła się pokrzywą i wszyscy o tym wiedzieli (hej, Podrapany Zadku, swędzi dupa?); a kiedy zasnęła w klasie, Billy Preston wysmarował jej włosy masłem z orzeszków ziemnych; szturchańce i kopniaki, złośliwie podstawiane nogi w przejściu między ławkami, żeby się potknęła, przechodząc, jej książki zrzucane na ziemię, pornograficzne pocztówki wkładane do jej torebki; Carrie, która na parafialnym pikniku klęka niezgrabnie, żeby się pomodlić, a wtedy w jej starej spódnicy z madrasu z donośny hukiem pęka szew przy zamku błyskawicznym; Carrie, która nigdy nie trafia w piłkę, nawet na treningach, która przewraca się na twarz na zajęciach z tańca nowoczesnego w drugiej klasie i wybija sobie ząb, która wpada na siatkę podczas gry w siatkówkę; wiecznie oczka w pończochach, wiecznie bluzki przepocone pod pachami; i ten dzień, kiedy Chris Hargensen zadzwoniła do niej po szkole z Kelly Fruit Company i zapytała ją, czy wie, że „świński ryj" pisze się C-A-R-R-I-E... Wszystko to sprawiło, że nagle została osiągnięta masa krytyczna. Od dawna oczekiwany moment ostatecznego poniżenia, upokorzenia, załamania – wreszcie nadszedł. Punkt krytyczny.

Cofała się, skomląc głośno w nagle zapadłej ciszy, zasłaniając sobie twarz tłustymi rękami. W jej włosach łonowych zaplątał się tampon.

Dziewczęta wpatrywały się w nią uważnie błyszczącymi oczami.

Carrie wycofała się w głąb jednej z czterech wielkich kabin z natryskami i powoli osunęła się na ziemię. Wydawała z siebie przeciągłe, bezsilne pojękiwania, oczy wywróciły się jej białkami do góry, jak zarzynanej świni.

Sue powiedziała powoli, z wahaniem:

– Chyba to musi być jej pierwszy raz...

W tym momencie drzwi otworzyły się gwałtownie, uderzając o ścianę, i do środka wpadła panna Desjardin.

Nadejście cienia (s. 41):

Zarówno lekarze, jak i psycholodzy wypowiadający się na ten temat są zgodni co do jednego: że wyjątkowo późne i związane z szokiem traumatycznym rozpoczęcie cyklu menstruacyjnego u Carrie White mogło być czynnikiem, który spowodował ujawnienie się jej ukrytych zdolności.

Trudno uwierzyć, że aż do roku 1979 Carrie nic nie wiedziała o miesięcznym cyklu u dojrzałych kobiet. Niemal równie trudno uwierzyć, że matka dziewczyny pozwoliła jej osiągnąć prawie siedemnaście lat i nie zaprowadziła córki do ginekologa, żeby wyjaśnić przyczyny braku miesiączki.

Fakty te są jednak niepodważalne. Kiedy Carrie White po raz pierwszy zauważyła u siebie krwawienie z pochwy, nie miała pojęcia, co się dzieje. Nie wiedziała nawet, co znaczy słowo „menstruacja".

Jedna z jej szkolnych koleżanek, które przeżyły, Ruth Gogan, opowiada, że na rok przed opisywanymi wypadkami weszła do damskiej toalety w szkole im. Ewena i zobaczyła, że Carrie ściera sobie szminkę z ust, używając do tego tamponu sanitarnego. Panna Gogan powiedziała wtedy: „Co ty wyprawiasz, do cholery?". Panna White odparła na to: „Coś nie tak?". A panna Gogan: „Nie, nie, w porządku". Ruth Gogan opowiedziała o tym swoim przyjaciółkom (udzielając potem wywiadu, oznajmiła, iż uważała to za „fajny kawał"). Jeśli nawet później ktokolwiek próbował wyjaśnić Carrie, do czego naprawdę służą przedmioty, których ona używa do poprawiania makijażu, najwyraźniej Carrie uważała te wyjaśnienia za próby nabierania. A doświadczenie nauczyło ją, że nikomu nie należy wierzyć...

Kiedy umilkł dzwonek i dziewczęta pobiegły na drugą lekcję (kilka z nich wyśliznęło się po cichu tylnymi drzwiami, zanim panna Desjardin zdążyła zebrać nazwiska), panna Desjardin zastosowała standardową taktykę wobec histeryczek: uderzyła Carrie mocno w twarz. Nigdy by się nie przyznała, że ten uczynek sprawił jej przyjemność, i z pewnością zaprzeczyłaby, gdyby jej ktoś powiedział, że w gruncie rzeczy uważa Carrie za wielką, rozlazłą kupę sadła. Jako początkująca nauczycielka wciąż jeszcze wierzyła, że naprawdę traktuje wszystkie dzieci jednakowo.

Carrie spojrzała na nią tępo, z wykrzywioną twarzą i trzęsącym się podbródkiem.

– P-p-panno D-d-d-des...

– Wstawaj – powiedziała beznamiętnym tonem panna Desjardin. – Wstawaj i weź się w garść.

– Wykrwawię się na śmierć! – wrzasnęła Carrie i jedna z jej rąk, szukając na ślepo, zacisnęła się na białych szortach nauczycielki, zostawiając krwawy odcisk palców.

– Ja... ja... – Twarz panny Desjardin wykrzywiła się w wyrazie obrzydzenia. Szarpnięciem postawiła dygocącą Carrie na nogi. – Wyłaź stamtąd!

Carrie stanęła chwiejnie między prysznicami a ścianą z automatem zawierającym podpaski. Piersi jej obwisły, ramiona opadły bezwładnie, oczy miały pozbawione wyrazu spojrzenie. Wyglądała jak małpa.

– Dalej – syknęła z furią panna Desjardin – wyjmij sobie tampon... nie, nie trzeba monety, i tak automat jest zepsuty... weź tampon i... do cholery, ruszże się w końcu! Zachowujesz się tak, jakbyś nigdy dotąd nie miała okresu.

– Okresu? – powtórzyła Carrie.

Na jej twarzy zbyt wyraźnie malował się wyraz całkowitego niedowierzania i tępego, beznadziejnego przerażenia, żeby można go było zignorować. Straszna myśl przebiegła nagle przez głowę pannie Desjardin. To było niewiarygodne, nie do pomyślenia. Ona sama dostała pierwszej miesiączki wkrótce po tym, jak ukończyła jedenaście lat; pamiętała, jak wybiegła z łazienki i w podnieceniu krzyknęła ze szczytu schodów: „Mamo, dostałam cioty!".

– Carrie? – powiedziała teraz. Podeszła do dziewczyny. – Carrie?

Carrie wzdrygnęła się i uchyliła przed nią. W tej samej chwili stojak z kijami do gry w softball przewrócił się z hukiem. Kije potoczyły się na wszystkie strony. Panna Desjardin podskoczyła.

– Carrie, czy to twój pierwszy okres?

Ale skoro już raz dopuściła do siebie tę myśl, właściwie nie musiała pytać. Krew była ciemna i płynęła z przerażającą prędkością. Obie nogi Carrie były umazane, jak gdyby dziewczyna przeszła w bród przez rzekę krwi.

– Boli – jęknęła. – Brzuch...

– To przejdzie – uspokoiła ją panna Desjardin. Narastała w niej nieprzyjemna mieszanina wstydu i współczucia dla Carrie. – Musisz... hm, zatamować upływ krwi. Musisz... Lampa pod sufitem rozbłysła nagle jaskrawym światłem, potem coś strzeliło, żarówka zaskwierczała i zgasła. Panna Desjardin krzyknęła zaskoczona. Przyszło jej do głowy (cała ta cholerna szkoła się sypie), że takie rzeczy zawsze przytrafiają się Carrie i wokół Carrie, kiedy jest zdenerwowana, jak gdyby pech prześladował ją na każdym kroku. Myśl uleciała niemal tak szybko, jak się pojawiła. Nauczycielka wyjęła tampon z zepsutego pojemnika i odpakowała go.

– Popatrz – powiedziała – w ten sposób...

Nadejście cienia (s. 54):

Margaret White urodziła swoją córkę Carrie 21 września 1963 roku w okolicznościach, które można jedynie określić jako niezwykłe. W istocie po uważnym przestudiowaniu przypadku Carrie White nieuchronnie narzuca się pewien wniosek: Carrie była jedynym dzieckiem w rodzinie tak dziwacznej, że wyróżniającej się spośród wszystkich rodzin, którymi kiedykolwiek interesowała się opinia publiczna.

Jak podano wcześniej, Ralph White poniósł śmierć na placu budowy w Portland w lutym 1963 roku, przywalony przez stalowy dźwigar, który wyśliznął się z podtrzymującej pętli. Od tego dnia pani White mieszkała samotnie w podmiejskim bungalowie w Chamberlain.

Z powodu graniczących z fanatyzmem religijnych przekonań państwa White'ów (byli fundamentalistami) pani White nie miała żadnych przyjaciół, którzy mogliby się nią zaopiekować w okresie żałoby. Nikogo również przy niej nie było siedem miesięcy później, kiedy nadszedł czas rozwiązania.

21 września około 13.30 mieszkańcy Carlin Street usłyszeli krzyki dobiegające z bungalowu White'ów. Policja jednakże została zaalarmowana dopiero o godzinie 18.00. Istnieją dwa możliwe wytłumaczenia tej zwłoki, oba równie deprymujące: albo sąsiedzi pani

17

White nie życzyli sobie być zamieszani w policyjne dochodzenie, albo też niechęć do niej była tak silna, że wszyscy z rozmysłem przyjęli postawę wyczekującą. Pani Georgia McLaughlin, jedyna spośród trzech pozostałych mieszkańców tej ulicy, która była świadkiem tego wydarzenia i zgodziła się na rozmowę ze mną, oświadczyła, że nie wezwała policji, ponieważ sądziła, że krzyki mają coś wspólnego z „religijnym szałem".

Kiedy o 18.22 pojawiła się policja, krzyki stały się rzadsze. Panią White znaleziono w sypialni na piętrze, leżącą w łóżku, a oficer prowadzący dochodzenie, Thomas G. Mearton, myślał początkowo, że ma do czynienia z ofiarą morderstwa. Całe łóżko było zalane krwią, a obok na podłodze leżał rzeźnicki nóż. Dopiero później policjant zobaczył, że pani White trzyma przy piersi noworodka, jeszcze częściowo zawiniętego w błonę łożyska. Widocznie pani White sama przecięła pępowinę nożem.

Hipoteza, jakoby Margaret White nie zdawała sobie sprawy, że jest w ciąży, a nawet nie rozumiała, jakie są nieuniknione następstwa tego stanu – wprost nie mieści się w głowie. Ostatnio tacy uczeni jak J. W. Bankson i George Fielding zaproponowali rozsądniejsze wyjaśnienie tego przypadku. Według nich możliwość zajścia w ciążę była u Margaret White nierozdzielnie związana z pojęciem „grzechu" (stosunku płciowego) i jako taka została całkowicie wyparta z jej świadomości. Ta kobieta po prostu nie chciała uwierzyć, że coś takiego mogło jej się przydarzyć.

Mamy w aktach co najmniej trzy jej listy do przyjaciółki w Kenoshy w Wisconsin, które wydają się ostatecznie dowodzić, iż począwszy od piątego miesiąca ciąży, pani White była przekonana, że ma „raka narządów kobiecych" i wkrótce połączy się ze swoim mężem w niebie...

Kiedy piętnaście minut później panna Desjardin prowadziła Carrie do gabinetu dyrektora, korytarze były miłosiernie puste. Zza zamkniętych drzwi klas dolatywało jednostajne brzęczenie.

Carrie przestała w końcu wrzeszczeć, ale w dalszym ciągu w regularnych odstępach czasu wydawała z siebie głębokie szlochy. Panna Desjardin musiała sama założyć jej tampon, wytrzeć krew mokrymi papierowymi ręcznikami i wciągnąć na nią jej zwykłe bawełniane majtki.

Dwa razy próbowała jej wytłumaczyć, że miesiączka to normalna sprawa, ale Carrie zatykała uszy rękami i nie przestawała płakać.

Pan Morton, zastępca dyrektora szkoły, otwierał właśnie drzwi swojego gabinetu, kiedy weszły do poczekalni. Dwaj chłopcy czekający na rozmowę w sprawie oblania pierwszego semestru z francuskiego, Billy deLois i Henry Trennant, wytrzeszczyli oczy.

– Proszę wejść – powiedział energicznie pan Morton. – Proszę, proszę. – Ponad ramieniem panny Desjardin zmierzył wzrokiem dwóch chłopców, którzy wpatrywali się w krwawe ślady palców na jej szortach. – A wy na co się gapicie?

– Krew – odparł Henry, uśmiechając się z bezmyślnym zdziwieniem.

– Za karę zostaniecie dwie godziny po lekcjach – warknął pan Morton. Spojrzał na krwawe ślady i zamrugał.

Zamknąwszy za sobą drzwi, zaczął grzebać w górnej szufladzie szafki zawierającej szkolne formularze wypadkowe.

– Dobrze się czujesz... hm...?

– Carrie – podpowiedziała panna Desjardin. – Carrie White.

– Pan Morton znalazł w końcu formularz dotyczący wypadków. Widniała na nim duża plama po kawie. – To niepotrzebne, panie Morton.

– Wypadek na trampolinie, prawda? Właśnie... niepotrzebne?

– Nie. Ale sądzę, że Carrie należy zwolnić z zajęć na resztę dnia. Miała dość nieprzyjemne przejścia.

Dała mu oczami znak, którego nie zrozumiał.

– Tak, oczywiście, jeżeli pani tak uważa. Dobrze. Świetnie. – Morton wepchnął zmięty formularz z powrotem do szafki, zatrzasnął szufladę, przycinając sobie palec, i jęknął. Pełnym gracji ruchem okręcił się na pięcie, otworzył z rozmachem drzwi, zmierzył wzrokiem chłopców i zawołał: – Panno Fish, proszę wypisać zwolnienie, dobrze? Carrie Wright.

– White – poprawiła panna Desjardin.

– White – zgodził się Morton.

Billy deLois parsknął śmiechem.

– Przez tydzień zostajesz po lekcjach! – ryknął Morton. Pod paznokciem zaczął już mu się tworzyć krwiak. Bolało jak diabli. Monotonne, regularne szlochy Carrie nie ustawały.

Panna Fish przyniosła żółty formularz zwolnień i Morton nabazgrał na nim swoje inicjały srebrnym kieszonkowym ołówkiem, krzywiąc się z bólu, ponieważ uraził się w stłuczony palec.

– Odwieźć cię do domu, Cassie? – zapytał. – Jeżeli trzeba, możemy wezwać taksówkę.

Potrząsnęła głową. Morton z niesmakiem zauważył, że z jednej dziurki w nosie wystaje jej wielki zielonkawy smark. Odwrócił wzrok i popatrzył na pannę Desjardin.

– Z pewnością nic jej nie będzie – uspokoiła go. – Carrie musi tylko przejść do Carlin Street. Świeże powietrze dobrze jej zrobi.

Morton wręczył dziewczynie żółtą kartkę.

– Możesz już iść, Cassie – powiedział wspaniałomyślnie.

– Nie nazywam się Cassie! – wrzasnęła Carrie znienacka.

Morton wzdrygnął się, a panna Desjardin podskoczyła, jakby ją ktoś ukłuł. Ciężka ceramiczna popielniczka na biurku, kopia „Myśliciela" Rodina, którego wydrążona głowa stanowiła pojemnik na niedopałki, zleciała nagle na podłogę, jakby chciała się schować przed tym wrzaskiem. Popiół, niedopałki i resztki tytoniu z fajki Mortona rozsypały się po jasnozielonym nylonowym dywanie.

– Słuchaj no – zaczął Morton, próbując nadać głosowi surowe brzmienie – rozumiem, że jesteś zdenerwowana, ale to nie znaczy, że będę tolerował takie...

– Proszę – powiedziała cicho panna Desjardin.

Morton spojrzał na nią z ukosa i krótko skinął głową.

Wypełniając funkcje dyscyplinarne, które były jego głównym zajęciem jako zastępcy dyrektora, usiłował naśladować sposób bycia swojego ulubionego aktora Johna Wayne'a, ale z miernym powodzeniem. Wśród personelu administracyjnego (który na zebraniach komitetu rodzicielskiego, na kolacjach w Niższej Izbie Handlowej i na ceremoniach przyznawania nagród przez Legion Amerykański zwykle bywał reprezentowany przez dyrektora, Henry'ego Grayle'a) znany był jako „kochany Mort". Uczniowie mówili o nim „ten kopnięty stary pierdoła", co niewątpliwie bardziej odpowiadało rzeczywistości. Niemniej, jak to podkreślali niektórzy uczniowie (między innymi Billy deLois i Henry Trennant), zabierając głos na zebraniach komitetu rodzicielskiego i rady miejskiej, punkt widzenia administracji przeważnie decydował.

Teraz więc kochany Mort, wciąż ukradkiem obmacując swój skaleczony palec, uśmiechnął się do Carrie i powiedział:

– Możesz już iść, Cassie, jeśli chcesz. A może wolałabyś posiedzieć chwilę i trochę odpocząć?

– Pójdę – mruknęła Carrie. Wstała, zdecydowanym ruchem odgarnęła włosy z twarzy i obejrzała się na pannę Desjardin. Jej szeroko otwarte oczy pociemniały ze zrozumienia. – Śmiały się ze mnie. Śmiały się i rzucały. Zawsze się ze mnie śmieją.

Panna Desjardin tylko spojrzała na nią bezradnie. Carrie wyszła. Morton i panna Desjardin w milczeniu odprowadzali ją wzrokiem. Potem Morton odchrząknął niezręcznie, jakby chciał sobie przeczyścić gardło, przykucnął i zaczął zbierać na kupkę śmieci z przewróconej popielniczki.

– Właściwie co się stało?

Panna Desjardin westchnęła i spojrzała z niesmakiem na brązowe zasychające ślady krwi na szortach.

– Dostała okresu. Swojego pierwszego okresu w życiu. Pod prysznicem.

Morton ponownie odchrząknął i zaczerwienił się z lekka. Kartka papieru, którą zgarniał śmieci, zaczęła się szybciej poruszać.

– Czy to nie jest trochę... hm...

– Za późno na pierwszą miesiączkę? Owszem. Właśnie dlatego tak się przestraszyła. Chociaż nie mogę zrozumieć, czemu jej matka... – Jakaś myśl przemknęła pannie Desjardin przez głowę i natychmiast uleciała. – Chyba nie za dobrze to załatwiłam, Morty, ale nie wiedziałam, o co jej chodzi. Ona myślała, że się wykrwawi na śmierć.

Morton spojrzał na nią ostro.

– Jestem przekonana, że jeszcze pół godziny temu w ogóle nie wiedziała, co to jest menstruacja.

– Proszę mi podać tę małą szczoteczkę, panno Desjardin. Tak, właśnie tę. – Podała mu małą zmiotkę z napisem na rączce: „Skład

21

Towarów Żelaznych w Chamberlain ZAWSZE do usług". Morton zaczął zmiatać kupkę popiołu na papier.

– Obawiam się, że jednak trzeba to będzie posprzątać odkurzaczem. Wszędzie popiół. Coś okropnego. Byłem pewien, że postawiłem popielniczkę na środku biurka. Śmieszne, jak coś takiego potrafi się nagle przewrócić. – Uderzył głową o krawędź biurka i gwałtownie usiadł na podłodze. – Trudno uwierzyć, panno Desjardin, że dziewczyna może chodzić do szkoły przez trzy lata i nie wiedzieć nic o menstruacji.

– Mnie jeszcze trudniej w to uwierzyć – odparła. – Ale w żaden inny sposób nie potrafię sobie wytłumaczyć jej zachowania. A poza tym wśród koleżanek zawsze była kozłem ofiarnym.

– Hm. – Morton wysypał popiół i niedopałki do kosza na śmieci i otrzepał ręce. – Chyba sobie przypomniałem. White. Córka Margaret White. To musi być ona. W takim razie mogę w to uwierzyć. – Usiadł za biurkiem i uśmiechnął się przepraszająco. – Tyle ich jest. Po jakichś pięciu latach wszystkie twarze zaczynają się zlewać w jedno. Człowiek zaczyna mylić imiona braci i tak dalej. Trudna sprawa.

– Oczywiście, rozumiem.

– Niech pani poczeka, aż będzie pani miała dwudziestoletni staż jak ja – powiedział markotnie, spoglądając na swój skaleczony palec. – Przychodzi jakiś dzieciak, który wydaje się znajomy, a tymczasem okazuje się, że uczyła pani jego ojca w pierwszym roku swojej pracy. Margaret White chodziła do szkoły, zanim zacząłem tu pracować, za co jestem głęboko wdzięczny losowi. Powiedziała kiedyś pani Bicente, świeć Panie nad jej duszą, że Bóg zarezerwował dla niej specjalne miejsce w piekle za to, że ośmiela się uczyć dzieci podstaw darwinowskiej teorii ewolucji. Dwa razy była zawieszona w prawach ucznia – raz za to, że pobiła koleżankę torebką. Fama głosi, że Margaret White przyłapała tę koleżankę na paleniu papierosów. Szczególne poglądy religijne. Bardzo szczególne. – Nagle przybrał manierę Johna Wayne'a. – Te dziewczęta. Czy naprawdę się z niej śmiały?

– Gorzej. Kiedy weszłam, wrzeszczały i rzucały w nią tamponami. Zachowywały się jak... jak w zoo przed klatką z małpami.

– O Boże. O Boże. – John Wayne zniknął. Morton oblał się szkarłatem. – Ma pani nazwiska?

– Tak. Nie wszystkie, chociaż niektóre z nich chyba doniosą na pozostałe. Prowodyrem była pewnie Chris Hargensen... jak zwykle.

– Chris i jej kaszaloty – wymamrotał Morton.

– Tak. Tina Blake, Rachel Spies, Helen Shyres, Donna Thibodeau i jej siostra Fern, Lila Grace, Jessica Upshaw. I Sue Snell. – Zmarszczyła brwi. – Nie spodziewałam się czegoś takiego po Sue. Zawsze wydawało mi się, że takie... historie to nie w jej stylu.

– Czy rozmawiała pani z tymi dziewczętami?

Panna Desjardin zaśmiała się niewesoło.

– Kazałam im się wynosić do diabła. Byłam zbyt zdenerwowana, żeby z nimi rozmawiać. A Carrie wpadła w histerię.

– Hm. – Morton zetknął końce palców. – A zamierza pani z nimi porozmawiać?

– Owszem. – Ale było to powiedziane bez entuzjazmu.

– Czyżbym wyczuwał jakąś nutę...

– Nie myli się pan – przyznała posępnie. – Widzi pan, oczywiście nie pochwalam ich zachowania, ale rozumiem, co czuły. Przyznam, że sama miałam ochotę złapać tę dziewczynę i nią potrząsnąć. Może to jakiś instynkt związany z menstruacją sprawia, że kobiety są wtedy rozdrażnione. Nie wiem. Przez cały czas mam przed oczami Sue Snell.

– Hm. – Morton przybrał inteligentny wyraz twarzy. Nie rozumiał kobiet i bynajmniej nie pragnął zagłębiać się w dyskusję o problemach menstruacji.

– Porozmawiam z nimi jutro – przyrzekła panna Desjardin, wstając. – Flaki z nich wypruję.

– Świetnie. Niech je pani odpowiednio ukarze. A jeśli uważa pani, że z niektórymi powinienem... hm... porozmawiać osobiście, proszę się nie krępować...

– Jak pan sobie życzy – odparła uprzejmie. – Jeszcze jedno: kiedy próbowałam uspokoić Carrie, zepsuło się światło. To już była ostatnia kropla.

– Zaraz wyślę na dół woźnego – zapewnił Morton. – I dziękuję za wszystko, panno Desjardin. Proszę powiedzieć pani Fish, żeby przysłała mi Billy'ego i Henry'ego, dobrze?
– Oczywiście. – Panna Desjardin wyszła.

Morton odchylił się na oparcie fotela i zapomniał o całej sprawę. Kiedy Billy deLois i Henry Trennant, dwaj najwięksi rozrabiacy, wśliznęli się do gabinetu, przyjrzał im się z zadowoleniem i przygotował się do wygłoszenia surowej reprymendy. Jak sam często powtarzał Hankowi Grayle'owi, tacy to dla niego byli na jeden ząb.

Napis wydrapany na ławce w szkole średniej w Chamberlain:
„Róże są czerwone, fiołki są fioletowe,
Carrie White nasrane ma w swoją głupią głowę".

Przeszła przez Ewin Avenue i na rogu skręciła w stronę Carlin Street. Szła z pochyloną głową, próbując o niczym nie myśleć. Skurcze przychodziły i odpływały wielkimi falami, powodując, że na przemian to przyspieszała, to zwalniała kroku, jak samochód z zepsutym gaźnikiem. Wpatrywała się w chodnik. Okruchy kwarcu połyskujące w betonie. Narysowane kredą prostokąty do gry w klasy, ledwie widoczne, spłukane przez deszcz. Rozgniecione kawałki gumy do żucia. Puste opakowania po lizakach i strzępki cynfolii. Nienawidzą mnie i nigdy nie przestaną mnie nienawidzić. Nigdy się tym nie zmęczą. Moneta tkwiąca w szparze chodnika. Kopnęła ją. Chris Hargensen, cała zakrwawiona, błagająca o litość. Szczury łażące jej po twarzy. O tak. Właśnie. Dobrze jej tak. Psie łajno, na którym odcisnął się ślad buta. Zwitek poczerniałych zużytych kapiszonów. Niedopałki papierosów. Z nieba spadają kamienie i roztrzaskują jej głowę. Roztrzaskują głowy im wszystkim. Dobrze. Dobrze.
(jezus zbawiciel łagodny i miłosierny)
Mamie to dobrze. Ona nie musiała wchodzić pomiędzy wilki dzień w dzień i rok po roku, nie musiała uczestniczyć w tym festiwalu śmiechów, wrzasków, szyderstw, wytykania palcami. A przecież mama mówiła, że nadejdzie kiedyś Dzień Sądu.

(a imię owej gwiazdy zowią piołunem i skorpiony będą ich dręczyć)
I anioł z mieczem ognistym.

Gdybyż tylko ten dzień nadszedł dzisiaj i gdyby Jezus zstąpił z niebios nie jako Dobry Pasterz z jagnięciem na ręku, ale z głazem w dłoniach, żeby zmiażdżyć szyderców i prześmiewców, wyrwać zło z korzeniami i zniszczyć je – Jezus straszliwy, wymierzający krwawą sprawiedliwość.

I gdyby tylko ona mogła być Jego mieczem i Jego ramieniem. Próbowała się dostosować. Wynajdywała setki małych sposobików, żeby obejść zarządzenia mamy, próbowała zetrzeć z siebie czerwone piętno, które ciążyło na niej od pierwszego dnia, odkąd przekroczyła próg ich małego domu na Carlin Street i wyruszyła do szkoły podstawowej na Grammar Street ze swoją Biblią pod pachą. Nadal pamiętała ten dzień, te zaciekawione spojrzenia i nagłą, okropną ciszę w szkolnej stołówce, kiedy uklękła, żeby się pomodlić przed lunchem. Wtedy po raz pierwszy usłyszała śmiech, a echo tego śmiechu prześladowało ją przez wszystkie następne lata.

Czerwone piętno było jak krew – mogła je ścierać ze wszystkich sił, a ono pozostawało na miejscu, niezmywalne, nie do usunięcia. Od tego dnia nigdy już nie uklękła w publicznym miejscu, chociaż mamie się do tego nie przyznała. Ale oni o tym nie zapomnieli. Walczyła z mamą zębami i pazurami, żeby pozwoliła jej pojechać na obóz młodzieży chrześcijańskiej, i sama zarobiła pieniądze szyciem. Mama ostrzegła ją posępnie, że to jest grzech, że obóz organizują baptyści, metodyści i kongregacjonaliści i to jest grzech i odstępstwo. Zabroniła Carrie pływać na obozie. Ale Carrie mimo wszystko pływała i nawet śmiała się, kiedy ją topili (dopóki nie zabrakło jej powietrza, a oni nie chcieli przestać, więc wpadła w panikę i zaczęła krzyczeć), i próbowała brać udział w zajęciach obozowych, ale oni przez cały czas wyśmiewali się ze „starej dewotki Carrie" i robili jej kawały, i w końcu musiała wrócić do domu autobusem o tydzień wcześniej, z oczami czerwonymi i zapuchniętymi od płaczu, a mama czekała na nią na dworcu i oznajmiła jej ponurym tonem, że Carrie powinna na zawsze zachować w pamięci swoje ciężkie przejścia jako dowód na to, że mama miała rację, że mama nigdy się nie myli, że jedyna bezpieczna i prowadząca do zbawienia droga to słuchać mamy.

– Błogosławieni ubodzy duchem, albowiem ich jest Królestwo Niebieskie – powiedziała mama ponurym tonem w taksówce, a w domu zamknęła Carrie w komórce na sześć godzin.

Mama oczywiście zabroniła jej brać prysznic z innymi dziewczętami; Carrie schowała swoje przybory do mycia w szkolnej szafce i mimo wszystko brała prysznic, uczestniczyła w tym okropnym rytuale obnażania się, chociaż wstydziła się i krępowała, w nadziei, że ciążące na niej piętno przyblednie chociaż trochę, chociaż troszeczkę...

(ale dzisiaj o dzisiaj)

Tommy Erbter, lat pięć, jechał na rowerze po drugiej stronie ulicy; mały poważny chłopczyk na dwudziestocalowym rowerze marki Schwinn z jasnoczerwonymi kołami. Podśpiewywał sobie pod nosem: „Scoobie Doo, gdzie jesteś?". Zobaczył Carrie, rozpromienił się i wywalił język.

– Hej, stara pierdoło! Stara dewotka Carrie!

Carrie wbiła w niego spojrzenie z nagłą, morderczą furią. Rower zachybotał i runął na ziemię. Tommy wrzasnął. Rower go przywalił. Carrie uśmiechnęła się i ruszyła dalej. Płacz Tommy'ego brzmiał w jej uszach jak słodka, rozkoszna muzyka.

Gdyby tylko mogła zrobić coś takiego za każdym razem.

(właśnie to zrobiła)

Chociaż od domu dzieliło ją jeszcze siedem budynków, zatrzymała się nagle, jakby natrafiła na niewidzialną przeszkodę. Za nią Tommy z płaczem gramolił się na rower, ostrożnie, żeby nie urazić rozbitego kolana. Wrzasnął jakieś wyzwisko, ale nie zwróciła na to uwagi. Była przyzwyczajona do znacznie gorszych.

Przed chwilą myślała:

(żebyś spadł z tego roweru szczeniaku żebyś się przewrócił i rozbił sobie swoją wstrętną gębę)

I coś się stało.

Jej umysł jakby... jakby... szukała odpowiedniego słowa. Jak gdyby skręcił. To nie było całkiem to, ale coś bardzo zbliżonego.

Coś w jej głowie ugięło się i naprężyło, prawie jak mięsień w ramieniu podczas ćwiczeń z hantlami. To również nie było całkiem dokładne określenie, ale nic innego nie przychodziło jej do głowy. Słabe drgnięcie. Słaby, nierozwinięty mięsień.

Skręt.

Nagle wbiła płonące spojrzenie w wielkie, panoramiczne okno pani Yorraty. Pomyślała: (głupia stara kurwa rozbić to okno) Nic. Panoramiczne okno pani Yorraty lśniło spokojnie w jasnym porannym słońcu. Carrie poczuła następny skurcz w dole brzucha i ruszyła dalej.

Ale...

Żarówka. I popielniczka; nie zapominać o popielniczce. Obejrzała się (stara kurwa nienawidzi mojej mamy) przez ramię. Znowu poczuła, że coś się w niej napięło... ale bardzo słabo. Jej myśli nagle zawirowały szaleńczo, jakby porwane nurtem tryskającym z niewidzialnego źródła.

Szyba w oknie jak gdyby zafalowała. Nic więcej. To mogło być złudzenie. Mogło być.

Ze zmęczenia zakręciło jej się w głowie, krew zaczęła tętnić w skroniach zapowiedzią migreny. Oczy ją paliły, jakby dopiero co przeczytała naraz całą Księgę Objawienia. Szła dalej ulicą, zbliżając się do małego białego domu z niebieskimi okiennicami. Wzbierały w niej znajome uczucia: miłość, nienawiść, strach. Zachodnią ścianę bungalowu porastał bluszcz (zawsze nazywały dom bungalowem, ponieważ „White house" brzmiało jak polityczny dowcip, a mama powiedziała, że wszyscy politycy to grzesznicy i oszuści i to przez nich nasz kraj zalewają bezbożni czerwoni, którzy w końcu postawią pod ścianę wszystkich wyznawców Jezusa – nawet katolików); bluszcz był malowniczy, Carrie wiedziała o tym, ale czasami go nienawidziła. Czasami – właśnie teraz – bluszcz wyglądał jak ogromna, żylasta, groteskowa dłoń wyłaniająca się z ziemi, żeby pochwycić budynek. Powłócząc nogami, podeszła bliżej.

A przecież były jeszcze kamienie.

Znowu przystanęła, mrugając bezmyślnie oczami w jaskrawym świetle. Kamienie. Mama nigdy o tym nie wspominała; Carrie nie wiedziała nawet, czy jej matka jeszcze pamięta dzień, w którym spadły kamienie. Zadziwiające było, że ona sama w ogóle o tym pamiętała. Była wtedy małą dziewczynką. Ile mogła mieć lat? Trzy? Cztery? Pamiętała dziewczynę w białym kostiumie kąpielowym i pamiętała, że potem spadły kamienie. A w całym domu rzeczy latały w powietrzu. Wspomnienie powróciło, nagle czyste i wyraźne, zupełnie jakby tkwiło w niej przez cały czas, tuż pod powierzchnią świadomości, czekając, aż Carrie stanie się kobietą.

Czekając aż do dzisiaj.

Jack Gaver, „Carrie: Czarny świt telekinezy" (artykuł zamieszczony w magazynie „Esquire" 12 września 1980 roku):

Estelle Horan od dwunastu lat mieszka w Parrish, zamożnej dzielnicy podmiejskiej San Diego, i na pierwszy rzut oka wygląda jak typowa Kalifornijka: nosi jasne, kolorowe sukienki i okulary przeciwsłoneczne, ma włosy blond z czarnymi pasemkami, jeździ pięknym kasztanowym volkswagenem z nalepką KEEP SMILING na osłonie baku i zieloną flagą obrońców środowiska na tylnej szybie. Jej mąż pracuje w zarządzie miejscowego oddziału Bank of America, syn i córka – skąpo odziane, spieczone na brąz stworzenia – są zapalonymi członkami Południowokalifornijskiego Zrzeszenia Słońca i Radości. Za domem na niewielkim, starannie utrzymanym trawniku stoi grill do pieczenia mięsa, a dzwonek u drzwi wygrywa fragment „Hey Jude".

Ale w głębi duszy pani Horan pozostała rdzenną mieszkanką Nowej Anglii, a kiedy opowiada o Carrie White, jej twarz przybiera dziwny zacięty wyraz, bardziej kojarzący się z Lovecraftem z Arkham niż z Kerouakiem z południowej Kalifornii.

– Oczywiście, że była dziwna – mówi Estelle Horan, zapalając następnego papierosa Virginia Slim w chwilę po zgaszeniu poprzedniego. – Cała rodzina była dziwna. Ralph pracował jako robotnik na budowie. Sąsiedzi opowiadali, że codziennie nosił ze sobą do pracy Biblię i rewolwer kalibru 38. Biblię czytał podczas przerwy na lunch. Rewolwer był na wypadek, gdyby w czasie pracy natknął się na antychrysta. Pamiętam, że Biblię widziałam na własne oczy. Rewolwer... kto wie? Ralph był wysoki, miał oliwkową cerę i zawsze ogoloną głowę, jak w wojsku. Nigdy się nie uśmiechał. I nigdy nie patrzył ludziom w oczy. W jego spojrzeniu malowało się takie napięcie, że oczy jak gdyby świeciły własnym światłem. Kiedy szedł ulicą, ludzie przechodzili na drugą stronę i nikt nie ośmielił się pokazać mu języka za plecami. Był jak nawiedzony.

Milknie, wydmuchując kłęby dymu w kierunku sufitu ozdobionego plastikowymi belkami imitującymi sekwoję.

Stella Horan mieszkała na Carlin Street do dwudziestego roku życia, dopóki uczęszczała na kursy w Wyższej Szkole Handlowej im. Lewina w Motton. Dokładnie pamięta dzień, kiedy spadły kamienie.

– Czasami się zastanawiam, czy to się nie stało przeze mnie – wyznaje. – Mieszkaliśmy obok siebie, nasze podwórka graniczyły ze sobą i pani White posadziła żywopłot, ale wtedy jeszcze nie zdążył urosnąć. Z dziesięć razy dzwoniła do mojej matki z awanturą, że „robię z siebie widowisko" na naszym podwórku. No cóż, rzeczywiście nosiłam opalacz, ale to był zwykły stary jednoczęściowy kostium, według dzisiejszych standardów wręcz pruderyjny. Pani White miała zwyczaj rozwodzić się bez końca nad tym, jakie to zgorszenie dla „jej dziecka". Moja matka... cóż, próbowała rozmawiać z nią uprzejmie, ale wie pan, moja matka naprawdę jest nerwowa. Nie wiem, czym Margaret White wyprowadziła ją w końcu z równowagi – pewnie nazwała mnie córą Koryntu – ale matka oświadczyła jej, że to jest nasze podwórko i mogę na nim robić, co mi się podoba – mogę nawet rozebrać się do naga i tańczyć taniec brzucha, a jej nic do tego. I nagadała jej, że jest obleśną starą babą i ma robaczywe myśli. Było jeszcze dużo wymyślania z obu stron, ale głównie o to poszło.

Chciałam wtedy skończyć z opalaniem. Nienawidzę awantur. Od razu zaczyna mnie boleć żołądek. Ale mama... kiedy sobie coś wbije do głowy, nic jej nie powstrzyma. Poszła do sklepu Jordana Marsha i kupiła mi biały kostium bikini. Powiedziała, że ona osobiście nie ma nic przeciwko temu, żebym od dzisiaj opalała całe ciało. „A w ogóle – powiedziała – to jest nasz dom i nikt mi się tu nie będzie wtrącał".

Stella Horan uśmiecha się na to wspomnienie i gasi papierosa w popielniczce.

– Próbowałam z nią dyskutować, wyjaśnić jej, że nie chcę brać udziału w tej wojnie podjazdowej. Ale to nic nie dało. Kiedy moja mama wpadnie w złość, przypomina ciężarówkę zjeżdżającą z góry bez hamulców. Równie trudno ją powstrzymać. Tak naprawdę nie o to mi chodziło. Po prostu bałam się tych ludzi. Z maniakami religijnymi nie ma żartów. Co prawda Ralph White już nie żył, ale Margaret dalej mogła mieć tę trzydziestkęósemkę, prawda? No, ale mimo wszystko postanowiłam zaryzykować. To była sobota po południu. Leżałam na kocu na naszym podwórku, wysmarowana olejkiem do opalania, i słuchałam przez radio listy przebojów. Mama nie cierpiała tej audycji i zwykle co najmniej kilka razy wrzeszczała na mnie, żebym przyciszyła radio, zanim całkiem wyszła z siebie. Ale tego dnia sama dwukrotnie wzmocniła dźwięk. Zaczynałam naprawdę czuć się jak córa Koryntu. Ale na podwórku White'ów nikt się nie pokazał. Nawet ta stara nie wyszła, żeby powiesić pranie. Jeszcze coś mi się przypomniało: ona nigdy nie rozwieszała bielizny na podwórku. Nawet rzeczy Carrie, chociaż Carrie miała wtedy dopiero trzy latka. Zawsze suszyła bieliznę w domu.

Zaczęłam się odprężać. Pomyślałam sobie, że pewnie Margaret zabrała Carrie do parku na jakieś nabożeństwo na świeżym powietrzu czy coś w tym rodzaju. W każdym razie po chwili przekręciłam się na plecy, zasłoniłam sobie oczy ramieniem i zasnęłam.

Kiedy się obudziłam, Carrie stała obok i spoglądała w dół na moje ciało.

Przerywa i wpatruje się w przestrzeń niewidzącym wzrokiem. Z zewnątrz dochodzi bezustanny warkot przejeżdżających samochodów. Magnetofon szumi cicho, uspokajająco. Ale wszystkie te odgłosy zdają się kruche i nierzeczywiste, niczym cienka otoczka oddzielająca nas od innej, prawdziwej rzeczywistości – straszliwej rzeczywistości, pełnej koszmarów.

– Była taka ładna – stwierdza wreszcie Stella Horan, zapalając następnego papierosa. – Widziałam parę jej szkolnych fotografii i to okropne, niewyraźne, czarno-białe zdjęcie z okładki „Newsweeka”. Patrzyłam na nie i mogłam myśleć tylko o jednym: Boże drogi, co się z nią stało? Co ta kobieta z nią zrobiła? I tak mi jej było żal. Była taka śliczna, miała różową buzię, jasnobrązowe oczy i jasne włosy w tym odcieniu, który z wiekiem ciemnieje i nabiera mysiego koloru. Słodka – to jedyne odpowiednie słowo. Słodka, jasna i niewinna. Choroba matki jeszcze jej się nie udzieliła.

Jakoś zdołałam wziąć się w garść i spróbowałam się uśmiechnąć. Nie bardzo wiedziałam, jak mam się zachować. Byłam rozespana, kręciło mi się w głowie od słońca i nie mogłam zebrać myśli. Powiedziałam: „Cześć". Carrie była ubrana w żółtą sukieneczkę, nawet ładną, ale o wiele za długą dla takiej małej dziewczynki, i to w lecie. Sukienka sięgała jej do pół łydki. Nie odpowiedziała na przywitanie. Nawet się nie uśmiechnęła. Po prostu pokazała palcem i zapytała:

– Co to jest?

Popatrzyłam na siebie i zobaczyłam, że kiedy spałam, zsunął mi się stanik. Więc poprawiłam go i powiedziałam:

– To są moje piersi, Carrie.

A wtedy ona odparła bardzo poważnie:

– Ja też bym chciała takie mieć.

– Musisz poczekać, Carrie – pouczyłam ją. – Będziesz miała piersi dopiero za... och, osiem czy dziewięć lat.

– Nie, nie będę – zaprzeczyła. – Mama mówi, że grzeczne dziewczynki tego nie mają. – Jej twarz przybrała dziwny wyraz jak na małą dziewczynkę, trochę smutny i jednocześnie pełen obłudy.

Ledwie mogłam uwierzyć własnym uszom i powiedziałam pierwszą rzecz, jaka mi przyszła do głowy:

– Ależ ja jestem grzeczną dziewczynką. A czy twoja mama nie ma piersi?

Pochyliła głowę i odpowiedziała coś tak cicho, że jej nie dosłyszałam. Kiedy ją poprosiłam, żeby to powtórzyła, spojrzała na mnie wyzywająco i oświadczyła, że jej mama była niegrzeczna, kiedy ją zrobiła, i dlatego właśnie ma piersi. Mówiła o nich: „złéciało", jak gdyby to było jedno słowo.

Nie wierzyłam własnym uszom. Po prostu zgłupiałam. Nie wiedziałam, co jej odpowiedzieć. Nic mi nie przychodziło do głowy.

Patrzyłyśmy na siebie w milczeniu, a ja zapragnęłam nagle złapać tę małą, udręczoną dziewuszkę i uciec z nią gdzieś daleko stąd.

W tym momencie Margaret White wyszła przez tylne drzwi i nas zobaczyła.

Przez dobrą minutę wytrzeszczała na nas oczy, jakby nie mogła uwierzyć w to, co widzi. Potem otworzyła usta i wrzasnęła. To był najokropniejszy dźwięk, jaki kiedykolwiek słyszałam. Przypominał ryczenie przerażonej krowy wciąganej w bagno przez aligatora. Ona po prostu ryknęła. Furia. Kompletna, obłąkańcza furia. Twarz jej poczerwieniała do tego stopnia, że kolorem przypominała wóz strażacki. Zacisnęła pięści i wrzeszczała, odrzuciwszy głowę do tyłu. Cała się trzęsła. Myślałam, że dostała jakiegoś ataku. Twarz miała okropnie wykrzywioną i wyglądała jak Gorgona. Myślałam, że Carrie zemdleje albo padnie trupem na miejscu. Nie mogła złapać tchu, jej mała buzia zbielała jak prześcieradło. Pani White wrzasnęła:

– Caaaarrrieeeeee!

Skoczyłam na równe nogi i zawołałam:

– Niech pani na nią nie wrzeszczy! Powinna się pani wstydzić!

– Coś podobnie głupiego. Carrie ruszyła w jej stronę, zatrzymała się, potem znowu zaczęła iść i zanim przeszła z naszego podwórka na ich trawnik, odwróciła się i rzuciła mi spojrzenie... och, okropne. Nie potrafię tego opisać. Była w nim tęsknota i nienawiść, i strach, i... cierpienie. Jakby samo życie stało się dla niej nagle ciężarem nie do zniesienia, i to wszystko w wieku trzech lat.

Moja matka wyszła na taras od tyłu i kiedy zobaczyła to dziecko, aż się skrzywiła. A Margaret... och, wykrzykiwała coś, że jestem wywłoką i ulicznicą i że grzechy ojców odezwą się jeszcze w siódmym pokoleniu. Byłam tak przerażona, że zaschło mi w ustach i nie potrafiłam wykrztusić ani słowa.

Może przez sekundę Carrie stała na granicy dzielącej oba podwórka, kiwając się w przód i w tył, a wtedy Margaret White spojrzała w górę i... słodki Jezu, przysięgam, że ta kobieta zawyła jak wilczyca. A potem zaczęła... kaleczyć się, rozdrapywać sobie twarz. Orała sobie paznokciami policzki i szyję, zostawiając krwawe szramy. Podarła na sobie sukienkę.

Carrie krzyknęła:

– Mamo! – i podbiegła do niej.

Pani White jakby... przykucnęła, jak żaba, i szeroko otwarła ramiona. Byłam pewna, że chce Carrie zmiażdżyć, i zaczęłam krzyczeć. Ale ta kobieta się uśmiechała. Uśmiechała się i ślina ciekła jej z ust. Tak się bałam. Boże, jak ja się bałam.

Wzięła Carrie na ręce i weszły do środka. Wyłączyłam radio i wtedy dopiero mogłam słyszeć, co się tam dzieje. Piąte przez dziesiąte, ale i to wystarczyło. Płacz i słowa modlitwy wypowiadane skrzeczącym głosem. Niesamowite odgłosy. Usłyszałam, jak Margaret rozkazuje córce, żeby poszła do komórki i modliła się. Dziewczynka płakała i krzyczała, że przeprasza, że zapomniała. Potem cisza. Matka i ja wymieniłyśmy spojrzenia. Nigdy dotąd nie widziałam, żeby mama tak źle wyglądała, nawet po śmierci taty. Zaczęła mówić:

– To dziecko... – i urwała. Weszłyśmy do domu.

Stella Horan wstaje i podchodzi do okna; ładna, atrakcyjna kobieta w żółtej plażowej sukience bez pleców.

– Wie pan, wydaje mi się, jakbym to na nowo przeżywała – mówi, nie odwracając się. – Znowu jestem cała roztrzęsiona. – Śmieje się krótko i obejmuje się ramionami, jak gdyby nagle zrobiło jej się zimno. – Ona była taka śliczna. Nikt by się nie domyślił z tych fotografii.

Na zewnątrz samochody jadą nieprzerwanym strumieniem. Siedzę i czekam na dalszy ciąg jej opowieści. Przypomina mi skoczka o tyczce, który wpatruje się w przeszkodę i zastanawia się, czy zdoła ją pokonać.

– Matka zaparzyła mocnej herbaty z mlekiem, takiej, jaką zawsze mi robiła, kiedy coś mi się stało: kiedy poparzyłam się pokrzywami albo spadłam z roweru. Herbata była okropna, ale wypiłyśmy ją, siedząc naprzeciwko siebie w kąciku śniadaniowym. Matka była ubrana w jakąś starą podomkę z odprutym obrąbkiem z tyłu, a ja nadal miałam na sobie dwuczęściowy kostium córy Koryntu. Chciało mi się płakać, ale to było zbyt rzeczywiste, żeby płakać, nie takie jak w filmach. Kiedyś w Nowym Jorku widziałam, jak pijany stary mężczyzna prowadził za rękę małą dziewczynkę w niebieskiej sukience. Dziewczynka płakała, krew leciała jej z nosa. Pijak miał wole na szyi, a na czole wielki czerwony guz. Ubrany był w niebieską marynarkę z serży przewiązaną białym sznurkiem. Ludzie przechodzili obok, nie zatrzymując się, żeby jak najszybciej pozbyć się sprzed oczu tego widoku. To również była rzeczywistość.

Chciałam to opowiedzieć matce i właśnie otwierałam usta, kiedy się stała ta druga rzecz... to, o czym pewnie chciał pan usłyszeć. Na dworze rozległo się głuche uderzenie, tak mocne, że zabrzęczały kieliszki stojące w kredensie. Poczułam, że podłoga się zatrzęsła, jak gdyby ktoś zrzucił z dachu kasę pancerną.

Stella Horan zapala następnego papierosa i zaciąga się łapczywie.

– Podbiegłam do okna i wyjrzałam, ale nic nie zobaczyłam. Potem, właśnie kiedy miałam się odwrócić, znowu coś spadło. To coś błyszczało w słońcu. W pierwszej chwili wydawało mi się, że to wielka kula ze szkła. Potem ta rzecz uderzyła w krawędź dachu White'ów i rozprysła się na kawałki, i okazało się, że to wcale nie szkło. To była wielka tafla lodu. Chciałam się odwrócić i zawołać mamę, ale wtedy z nieba runął grad lodowych odłamków. Spadły na dach White'ów, na trawniki od frontu i od tyłu, na drzwi do piwnicy. Drzwi były zrobione z cienkiej blachy i kiedy trafiały w nie odłamki lodu, rozlegało się donośne „bang", głośne jak uderzenie dzwonu. Obie z mamą zaczęłyśmy krzyczeć i przytuliłyśmy się do siebie jak dwie małe dziewczynki podczas burzy.

Potem wszystko ucichło. Z domu White'ów nie dochodził żaden dźwięk. Widać było, jak woda z topiącego się lodu spływa po dachówkach i lśni w słońcu. Jeden duży odłamek utkwił w kącie między kominem a pochyłością dachu. Błyszczał w słońcu tak jasno, że aż oczy bolały od patrzenia.

Matka chciała zapytać, czy już po wszystkim, i wtedy usłyszałyśmy, jak Margaret White krzyknęła. Usłyszałyśmy to bardzo wyraźnie. W jakiś sposób ten krzyk był straszniejszy niż poprzednie wrzaski, ponieważ dźwięczało w nim przerażenie. Potem rozległy się jakieś łomoty i brzęki, jak gdyby Margaret rzucała w córkę wszystkimi garnkami i patelniami, jakie były w domu.

Tylne drzwi gwałtownie otworzyły się i zamknęły. Nikt się nie pokazał. Znowu krzyki. Mama zawołała, żebym wezwała policję, ale nie mogłam się ruszyć. Byłam jak przykuta do miejsca. Pan Kirk i jego żona Virginia wyszli przed dom, żeby zobaczyć, co się dzieje. Państwo Smith również. Wkrótce wszyscy sąsiedzi powychodzili na ulicę, nawet stara pani Warwick z naprzeciwka, która była półgłucha.

Z domu White'ów dochodził brzęk tłukącego się szkła. Coś spadało na ziemię, szklanki, butelki, nie wiem. A potem w bocznym oknie wyleciała szyba, wysunął się przez nie stół kuchenny i utknął w połowie. Klnę się przed Bogiem, że tak było. To był ciężki mahoniowy stół, musiał ważyć ze trzysta funtów, i wyrwał ramę okienną swoim ciężarem. W jaki sposób kobieta – nawet silna kobieta – zdołała go wyrzucić przez okno?

Pytam ją, czy chce mi coś zasugerować.

– Ja tylko mówię panu, co się stało – obrusza się, nagle wytrącona z toku opowiadania. – Wcale nie wymagam, żeby pan mi wierzył...

Głęboko wciąga powietrze i beznamiętnym tonem kontynuuje:
– Przez jakieś pięć minut nic się nie działo. Z rynien kapała woda. I wszędzie na trawniku White'ów leżał lód. Topniał w oczach. Wydaje krótki, urywany chichot i gasi papierosa.
– Nic dziwnego, prawda? Przecież był sierpień.
Wstaje i w roztargnieniu zaczyna spacerować po pokoju; podchodzi do sofy, obraca się.
– Potem spadły kamienie. Z jasnego nieba. Powietrze gwizdało i wyło jak podczas bombardowania. Mama krzyknęła: „Co to jest, na miłość boską!", i zasłoniła uszy rękami. A ja nie mogłam się ruszyć. Patrzyłam na to wszystko i nie mogłam się ruszyć. Ale to i tak nie miało znaczenia. Kamienie spadły tylko na dom White'ów. Jeden trafił w rynnę i rozbił ją na kawałki. Te kawałki pospadały na trawnik. Inne powybijały dziury w dachu i w podłodze strychu. Za każdym razem rozlegał się huk i z dachu wzbijały się kłęby kurzu. Kiedy kamienie trafiały w ziemię, ziemia drżała. Każde uderzenie wyczuwało się stopami.

Nasz kredens brzęczał, ozdobna walijska serwantka cała się trzęsła, a filiżanka mamy spadła na podłogę i rozbiła się.

Kamienie, które upadły na trawnik White'ów, powybijały w nim wielkie dziury. Kratery. Pani White wynajęła potem śmieciarza, żeby wszystko wywiózł, a Jerry Smith, który mieszkał obok na tej samej ulicy, zapłacił mu dolara za kawałek takiego kamienia. Zaniósł go na Uniwersytet Bostoński, a tam obejrzeli kamień i powiedzieli, że to zwykły granit.

Jeden z ostatnich rozbił na kawałki mały stolik, który stał na trawniku za domem.

Ale nic, dosłownie nic, co znajdowało się poza ich posiadłością, nie zostało trafione.

Przerywa i odwraca się od okna, żeby na mnie popatrzeć. Na jej twarzy wyraźnie maluje się wspomnienie przeżytego strachu. W roztargnieniu nawija na palec kosmyk włosów, przyciętych w modne, niesymetryczne strzępy.

– Niewiele z tego dostało się do lokalnej prasy. Zanim pojawił się Billy Harris – miejscowy reporter – pani White zdążyła naprawić dach, a kiedy ludzie mówili mu, że z nieba spadały kamienie, myślał pewnie, że go nabierają.

Nikt nie chce w to uwierzyć, nawet teraz. Wszyscy, którzy to przeczytają, będą się tylko z tego śmiać i nazwą mnie wariatką.

Powiedzą, że pewnie za długo siedziałam na słońcu. Ale tak właśnie było. Mnóstwo ludzi na naszej ulicy widziało to na własne oczy. To było tak samo rzeczywiste jak ten pijak prowadzący dziewczynkę z rozbitym nosem. A teraz mieliśmy ten drugi wypadek. Z tego nikt się nie będzie śmiał. Zbyt wielu ludzi straciło życie. I nie chodzi już tylko o posiadłość White'ów.

Uśmiecha się, ale nie ma w tym ani krzty wesołości.

– Ralph White był ubezpieczony – mówi – i Margaret dostała dużo pieniędzy, kiedy zginął... podwójne odszkodowanie. Ralph ubezpieczył również dom, ale Margaret nie dostała z tego ani centa. Zniszczenia spowodowane siłą wyższą. Ironia losu, co?

Śmieje się cicho, ale równie mało w tym wesołości co poprzednio...

Słowa powtarzające się kilkakrotnie na tej samej stronie w jednym z zeszytów szkolnych Carrie White:

Nobody has to guess that Baby can't be blessed,
Till she sees finally that she's like all the rest*.

Carrie weszła do domu i zamknęła za sobą drzwi. Jaskrawe światło dnia znikło zastąpione przez brązowy półmrok, chłód i natarczywy zapach talku. Jedynym dźwiękiem w zalegającej wokoło ciszy było tykanie bawarskiego zegara z kukułką wiszącego w salonie. Mama dostała ten zegar za Zielone Znaczki**.

Kiedyś, w szóstej klasie, Carrie chciała zapytać mamę, czy Zielone Znaczki nie są grzechem, ale nie starczyło jej odwagi.

Zdjęła płaszcz i odwiesiła go na miejsce. Nad wieszakiem na ścianie znajdował się podświetlony obraz wyobrażający Jezusa, który pochyla się groźnie nad rodziną siedzącą przy kuchennym stole. Napis u dołu (również podświetlony) głosił: „Niewidzialny Gość".

---

* I nikt o tym nie wie, że nie wybaczą jej / Póki nie przyzna na koniec, że jest taka jak oni... (Fragment piosenki Boba Dylana „Just Like a Woman").
** Zielone Znaczki (w oryg. Green Stamps) – znaczki oferowane kupującym przez niektóre sklepy w USA w celach reklamowych; po zebraniu określonej ich liczby klient otrzymuje premię pieniężną lub rzeczową.

Weszła do salonu i stanęła pośrodku na wyblakłym, w wielu miejscach poprzecieranym dywanie. Zacisnęła mocno powieki i obserwowała małe iskierki migocące w mroku. W skroniach pulsował mdlący ból. Sama.

Mama pracowała w pralni „Błękitna wstęga" mieszczącej się w centrum Chamberlain, w dziale ekspresowego prasowania i pakowania odzieży. Pracowała tam, odkąd Carrie skończyła pięć lat i pieniądze otrzymane z towarzystwa ubezpieczeniowego jako odszkodowanie za wypadek ojca zaczęły się wyczerpywać. Praca trwała od siódmej trzydzieści rano do czwartej po południu. Pralnia była „bezbożna". Mama tyle razy jej to powtarzała. Szczególnie „bezbożny" był kierownik, pan Elton Mott. Mama mówiła, że szatan zarezerwował w piekle specjalne miejsce dla Elta, jak go nazywano w „Błękitnej wstędze". Sama.

Otworzyła oczy. W salonie stały dwa krzesła o prostych oparciach i stół do szycia z lampą, gdzie Carrie czasem szyła wieczorami sukienki, podczas gdy mama szydełkowała koronkowe serwetki i opowiadała o Dniu, Który Nadejdzie. Bawarski zegar z kukułką wisiał na ścianie naprzeciwko drzwi.

W salonie znajdowało się mnóstwo świętych obrazów, ale Carrie najbardziej lubiła ten, który wisiał na ścianie nad jej krzesłem. Był na nim Jezus prowadzący baranki na wzgórze porośnięte trawą tak zieloną i miękką, jak trawa na polu golfowym w Riverside. Pozostałe nie były tak idylliczne: przedstawiały Jezusa wypędzającego przekupniów ze świątyni, Mojżesza ciskającego z góry tablice przykazań na bałwochwalców wielbiących złotego cielca, niewiernego Tomasza wkładającego palce w ranę w boku Chrystusa (och, ta pełna strachu fascynacja, jaką w niej wzbudzał, kiedy była mała, i te koszmary, które jej się potem śniły!), arkę Noego, która przepływa ponad tonącymi, skręcającymi się w agonii grzesznikami, Lota i jego rodzinę, jak uciekają z płonących Sodomy i Gomory.

Na małym podręcznym stoliku stała lampa, a obok leżał stos broszurek religijnych. Na wierzchu był obrazek przedstawiający grzesznika (o jego upadku moralnym jednoznacznie świadczyło śmiertelne przerażenie malujące się na jego twarzy), który próbował odczołgać się za wielki głaz. Podpis pod obrazem krzyczał: „Nawet skała cię nie skryje TEGO DNIA!".

Ale najbardziej rzucającym się w oczy elementem wyposażenia pokoju był ogromny gipsowy krucyfiks na ścianie na wprost drzwi. Mama sprowadziła go z St. Louis specjalną przesyłką pocztową. Miał cztery stopy wysokości. Przybity do krzyża Jezus zastygł w groteskowym skurczu bólu, z mięśniami napiętymi do ostateczności, z ustami rozwartymi szeroko i wykrzywionymi w bezgłośnym jęku. Spod korony cierniowej na czoło i skronie spływały szkarłatne strumyczki krwi. Spojrzenie gasnących oczu, wbite w sufit, wyrażało całą mękę agonii w sposób typowy dla sztuki średniowiecza. Dłonie także ociekały krwią, a stopy były przybite do niewielkiego gipsowego postumentu.

Ten widok w swoim czasie również powodował u Carrie niekończące się koszmary, w których okaleczony Chrystus ścigał ją przez mroczne korytarze, wymachując drewnianym młotem, pokazując jej gwoździe i błagając, żeby zgodziła się przyjąć swój krzyż i poszła za nim. Ostatnio te sny przybrały inną formę, niezbyt zrozumiałą, ale tym bardziej złowrogą. Nie obracały się już wokół tematu morderstwa, ale wokół czegoś o wiele gorszego.

Sama.

Ból w nogach i w podbrzuszu trochę zelżał. Nie myślała już, że wykrwawi się na śmierć. Kluczowym słowem była „menstruacja" i nagle wszystko wydało się jej logiczne i nieuniknione. To był Jej Czas. Wyrwał jej się dziwaczny zduszony chichot, mącąc uroczystą ciszę salonu. To brzmiało jak w telewizyjnym kwizie. I ty również możesz wygrać darmową wycieczkę na Bermudy w Swoim Czasie. Podobnie jak pamięć o dniu, w którym spadły kamienie, wiedza o menstruacji wydawała się od dawna tkwić w jej świadomości, czekając tylko na właściwą chwilę, żeby się ujawnić. Odwróciła się i ciężkim krokiem zaczęła wchodzić na schody. Łazienka miała drewnianą podłogę, wyszorowaną niemal do białości (nieczystość idzie zaraz za bezbożnością) i stała w niej wanna na żeliwnych nogach. Woda ściekająca z kranu zostawiła rdzawe plamy na porcelanie. Prysznica nie było. Mama mówiła, że prysznice są grzechem.

Carrie weszła do łazienki, otworzyła szafkę z ręcznikami i zaczęła ją przeszukiwać dokładnie, lecz zachowując ostrożność i odkładając wszystkie rzeczy na miejsce. Mama była spostrzegawcza. Niebieskie pudełko leżało na samym spodzie, za stertą starych ręczników, których nie używały. Na wieczku narysowana była niewyraźna postać kobiety w długiej, powłóczystej szacie. Wyjęła jeden tampon i przyjrzała mu się ciekawie. Używała ich publicznie do ścierania szminki, którą chowała w torebce przed mamą; kiedyś nawet robiła to na ulicy. Teraz przypomniała sobie (albo wydawało jej się, że pamięta) zaszokowane, niedowierzające spojrzenia przechodniów. Twarz jej zapłonęła. Oni jej wtedy powiedzieli. Rumieniec zniknął, zastąpiło go bliżej niesprecyzowane uczucie złości. Weszła do swojej maleńkiej sypialni. Na ścianach wisiało tam jeszcze więcej świętych obrazków, jeszcze więcej baranków i scen przedstawiających ofiary sprawiedliwego gniewu bożego. Na komodzie leżała Biblia i stała plastikowa figura Jezusa, która świeciła w ciemnościach, a nad tym wszystkim wisiał szkolny proporczyk.

Rozebrała się – najpierw bluzka, potem znienawidzona, długa do kolan spódnica, halka, pas do pończoch, pończochy, majtki. Popatrzyła na stos ciężkiej odzieży, na te wszystkie guziki i zatrzaski, z nagłą, beznadziejną rozpaczą. W szkolnej bibliotece znalazła zeszłoroczne wydanie magazynu mody dla dziewcząt „Siedemnastolatka" i przeglądała go po wielekroć, udając jak idiotka, że tylko przypadkowo wpadł jej w ręce. Modelki wyglądały tak zgrabnie i lekko w krótkich, jasnych spódniczkach, dobrze skrojonych spodniach i kolorowej, wesołej, ozdobionej falbankami bieliźnie. Oczywiście „lekkie" było jednym z ulubionych słów mamy (wiedziała z góry, co mama może powiedzieć) na ich określenie. Wiedziała, że nigdy nie mogłaby się tak ubrać. Czułaby się okropnie – obnażona, zepsuta, napiętnowana grzechem ekshibicjonizmu; powiewy wiatru lubieżnie gładzące jej uda, rozbudzające pożądanie. I wiedziała, że one od razu by to odgadły. Zawsze tak było. Znalazłyby jakiś sposób, żeby znowu ją upo-

korzyć, znowu wystawić na pośmiewisko. Takie właśnie były ich metody. A przecież mogłaby, mogłaby
(co)
gdyby wyjechała. Miała odwagę tylko dlatego, że czasami czuła się tak nieszczęśliwa, pusta, znudzona, że jedynym sposobem na zapełnienie czymś tej skomlącej otchłani rozpaczy było jeść, jeść i jeść aż do skutku. Ale w talii wcale nie była aż taka gruba. Dobra przemiana materii nie pozwalała jej przekroczyć określonej wagi. Poza tym miała ładne nogi, prawie tak ładne jak Sue Snell czy Vicky Hanscom. Mogłaby
(co ach co ach co)
przestać jeść czekoladki i pryszcze by znikły. Zawsze znikały. Mogłaby pójść do fryzjera. Kupić obcisłe spodnie i kolorowe rajstopy, niebieskie i zielone. Uszyć sobie krótkie spódniczki i sukienki z wykrojów firmy Butterich and Simplicity. Za cenę biletu na pociąg, biletu na autobus. Mogłaby, mogłaby, mogłaby...
Żyć.
Rozpięła ciężki bawełniany stanik i upuściła go na podłogę. Jej piersi były mlecznobiałe, jędrne i delikatne, sutki miały kolor kawy z mlekiem. Przesunęła po nich rękami i przeszedł ją lekki dreszcz. Zło, zepsucie, och, tak, to było zło. Mama ostrzegała ją przed pewną rzeczą. Ta rzecz to było odwieczne czyhające zło, którego imienia nie należy wymawiać. Prowadzi do słabości. Uważaj – mówiła mama. – To przychodzi nocą. Wtedy zaczynasz myśleć o złych rzeczach, które dzieją się w pokojach hotelowych i zaparkowanych samochodach.
Chociaż była dopiero dziewiąta dwadzieścia rano, Carrie wiedziała, że ta rzecz do niej przyszła. Dotknęła piersi
(zleciało)
jeszcze raz; skóra wydawała się chłodna, ale sutki były gorące i twarde, a kiedy ścisnęła jedną między palcami, poczuła nagłą słabość. Tak, to była ta rzecz.
Majtki miała poplamione krwią.
Nagle poczuła, że za chwilę wybuchnie płaczem albo zacznie wrzeszczeć, że musi wydrzeć tę rzecz ze swego ciała, zgnieść ją, zniszczyć, zabić.

Tampon od panny Desjardin nadawał się już tylko do wyrzucenia i Carrie ostrożnie założyła nowy, myśląc przy tym, jak bardzo jest zepsuta, jakie one są zepsute, jak bardzo ich nienawidzi i jak bardzo nienawidzi samej siebie. Tylko mama była w porządku. Mama walczyła z szatanem i pokonała go. Carrie widziała to we śnie. Mama wymiotła go szczotką za drzwi; uciekał po Carlin Street, a jego rozdwojone kopyta krzesały czerwone iskry na betonie, zanim zniknął w ciemności.

Mama wydarła z siebie tę rzecz i była czysta.

Carrie nienawidziła jej.

Pochwyciła odbicie swojej twarzy w lusterku wiszącym na drzwiach, lusterku w taniej zielonej plastikowej oprawce, przydatnym jedynie do czesania.

Nienawidziła swojej twarzy, swojej tępej, bezmyślnej, cielęcej twarzy, swoich bezbarwnych oczu, czerwonych, lśniących pryszczy i wągrów z czarnymi główkami. Nienawidziła swojej twarzy najbardziej ze wszystkiego.

Odbicie pokryło się nagle srebrzystą siatką pęknięć. Lusterko spadło na podłogę i rozbiło się w drobny mak u jej stóp. Została tylko pusta plastikowa oprawka, która gapiła się na nią z dołu jak oślepłe oko.

Słownik zjawisk fizycznych Ogilviego: *

Telekineza – zdolność poruszania przedmiotów lub zmiany ich kształtu za pomocą siły umysłu. Zjawisko najczęściej występujące w sytuacjach krytycznych lub w chwilach napięcia, np. uniesienie samochodu przygniatającego ciała ofiar wypadku, usunięcie gruzu z zawalonego budynku itp.

Zjawisko to nie ma nic wspólnego z działalnością poltergeistów, czyli złośliwych duchów. Należy podkreślić, iż poltergeisty są bytami astralnymi, w których rzeczywiste istnienie można wątpić, podczas gdy telekineza uważana jest za jedną z funkcji mózgu, prawdopodobnie opierającą się na reakcjach elektrochemicznych...

Kiedy skończyli się kochać na tylnym siedzeniu forda 1963, należącego do Tommy'ego Rossa, i Sue Snell powoli zaczęła porządkować swoje ubranie, zorientowała się, że znowu myśli o Carrie White.

Był piątkowy wieczór i Tommy (który nadal wyglądał w zamyśleniu przez tylną szybę, ze spodniami wciąż opuszczonymi do kostek – widok komiczny, ale dziwnie wzruszający) zabrał ją na kręgle. Oczywiście kręgle były tylko pretekstem. Od samego początku chodziło im wyłącznie o seks.

Sue chodziła z Tommym mniej lub bardziej stale już od października (był maj), ale zostali kochankami dopiero dwa tygodnie temu. Siedem razy, poprawiła się w myśli. Dzisiaj był siódmy raz. Co prawda jeszcze nie czas na fajerwerki i orkiestry grające „Gwiaździsty Sztandar" ale jednak było trochę lepiej.

Za pierwszym razem bolało jak cholera. Obie jej przyjaciółki, Helen Shyres i Jeanne Gault, miały już to za sobą i obie zapewniały ją, że boli tylko przez chwilę – jak zastrzyk penicyliny – a potem jest cudownie. Ale dla Sue ten pierwszy raz to było tak, jakby ktoś w nią wpychał rączkę motyki. Potem Tommy wyznał jej z uśmiechem, że założył gumę na niewłaściwą stronę.

Dziś dopiero po raz drugi zaczęła odczuwać coś w rodzaju przyjemności. Ale bardzo szybko było po wszystkim. Tommy wstrzymywał się, dopóki mógł, a potem po prostu... skończyło się. Przypominało to rozniecanie ognia u dzikich – okropnie dużo tarcia, żeby uzyskać odrobinę ciepła. Potem ogarnęła ją melancholia i w rezultacie jej myśli powróciły do Carrie. Wyrzuty sumienia dopadły ją w momencie, w którym nie potrafiła się przed nimi obronić, kiedy więc Tommy oderwał się wreszcie od widoku Brickyard Hill i odwrócił do niej, płakała.

– Hej – powiedział zaniepokojony. – Hej, co jest?

Objął ją niezręcznie.

– Już... już w porządku – wyjąkała, wciąż szlochając. – To nie przez ciebie. Coś sobie przypomniałam. Zrobiłam dzisiaj brzydką rzecz.

– Co? – Delikatnie głaskał ją po karku.

I niespodziewanie dla samej siebie zaczęła mu opowiadać o tym, co się wydarzyło rano. Słyszała własny głos i ledwie mogła w to uwierzyć. Trzeba spojrzeć prawdzie w oczy: zgodziła się iść z Tommym do łóżka, ponieważ go kochała? pragnęła? – nieważne, rezultat był ten sam – a opisywanie takich obrzydliwych scen – zgrai

42

rozebranych, wrzeszczących dziewczyn – z pewnością nie było najlepszą metodą, żeby złapać faceta. A Tommy, oczywiście, miał powodzenie. Ponieważ ona sama również miała powodzenie przez całe życie, wydawało się niemal zapisane w księgach niebieskich, że zakocha się w kimś dorównującym jej popularnością. Prawie na pewno zostaną wybrani na króla i królową na wiosennym balu w szkole, a ostatnie klasy już przegłosowały ich wybór na Parę Roku. Oboje byli gwiazdami stałymi na migotliwym firmamencie szkolnego nieba, uznanym i podziwianym przykładem do naśladowania, jak Romeo i Julia. Z nagłą, morderczą nienawiścią pomyślała, że w każdej podmiejskiej szkole średniej jak Ameryka długa i szeroka była jedna taka para jak oni.

A teraz, mając to, do czego zawsze tęskniła – poczucie bezpieczeństwa, przynależności, ustaloną pozycję – odkryła, że temu wszystkiemu nieodłącznie towarzyszy uczucie niepokoju, niby zła siostra z bajki. Nie tak to sobie wyobrażała. Wokół jasnego, ciepłego kręgu światła, w którym żyła, krążyły w ciemnościach strachy. Na przykład myśl, że dała mu się zerżnąć

(czy musisz używać takich słów tak tym razem muszę)

tylko dlatego, że ma powodzenie, że pasowali do siebie i że idąc ulicą, mogła popatrzeć na ich odbicie w oknie wystawowym i pomyśleć: jaka ładna para. Miała całkowitą pewność

(czy tylko nadzieję)

że nie jest aż taka słaba, aż tak pozbawiona własnego zdania, żeby potulnie wypełniać wszystko, czego od niej oczekują jej zakłamani rodzice, przyjaciele i ona sama. A przecież wtedy w szatni przyłączyła się do nich bez wahania, spontanicznie i w jakimś dzikim zapamiętaniu. Słowem, którego najbardziej się obawiała, było konformizować (w formie czasownika, jakby to była czynność) i słowo to zawsze wywoływało w jej myślach koszmarne wizje włosów zakręconych na lokówki, długich, samotnych wieczorów przed telewizorem nadającym popularne programy, podczas gdy mężulek pracuje ciężko w jakimś anonimowym biurze; wstąpienia do komitetu rodzicielskiego, a potem do miejscowego podmiejskiego klubu, kiedy ich dochody osiągną pięciocyfrową liczbę; pigułek w żółtych okrągłych pudełeczkach bez etykietek, pigułek zapewniających na zawsze zachowanie idealnej figury, co jest absolutnie najważniejsze, pigułek broniących przed atakiem wstrętnych malutkich stworzonek, które umierają w łóżku o drugiej nad ranem; desperackiej, starannie ukrywanej walki o niedopuszczenie czarnuchów do reprezentacyjnych dzielnic willowych, ramię w ramię z Terri Smith (Miss Ziemniaków w 1975) i Vicki Jones (wiceprzewodniczącą Ligi Kobiet), uzbrojonymi w podpisane petycje i podania, i słodziutkie, fałszywe uśmiechy. Carrie, to ta cholerna Carrie, to jej wina. Przedtem, bezpieczna w jasnym kręgu światła, słyszała najwyżej odległe kroki; dopiero dziś, słuchając, jak opowiada Tommy'emu tę szokującą, obrzydliwą historię, po raz pierwszy zobaczyła kształty czające się na granicy cienia i żółte oczy świecące jak latarnie w ciemnościach.

Kupiła już suknię na szkolny bal. Suknia była błękitna, śliczna.

– Masz rację – powiedział Tommy, kiedy skończyła mówić. – Nieładnie. Wcale to do ciebie nie pasuje. – Jego twarz była śmiertelnie poważna i Sue poczuła zimny dotyk strachu. Potem uśmiechnął się – miał bardzo miły uśmiech – i strach trochę się zmniejszył.

– Raz skopałem nieprzytomnego człowieka. Mówiłem ci o tym?

Potrząsnęła głową.

– Taak. – Potarł nos w zamyśleniu, na policzku pojawił mu się niewielki tik, tak jak wtedy, kiedy jej wyznał, że za pierwszym razem źle założył gumę. – Gość nazywał się Danny Patrick. Kiedyś, w szóstej klasie, sprał mnie na kwaśne jabłko. Nienawidziłem go, ale jednocześnie się go bałem. Podlizywałem mu się. Wiesz, jak to jest.

Nie wiedziała, ale kiwnęła głową.

– W każdym razie rok czy dwa później naciął się na niewłaściwego faceta. Pete'a Tabera. Niewysoki chłopaczek, ale bardzo silny. Danny przyczepił się o coś do niego, nie pamiętam, chyba o marmurki, i w końcu Pete się wkurzył i spuścił mu łomot. To było na boisku starej szkoły im. Kennedy'ego. Danny upadł, uderzył o coś głową i stracił przytomność. Wszyscy zwiali. Myśleliśmy, że nie żyje. Ja też zwiałem, ale przedtem porządnie przykopałem mu w żebra. Paskudnie się potem czułem. Masz zamiar ją przeprosić?

Pytanie zaskoczyło ją, więc zdobyła się tylko na słaby docinek:

– A ty go przeprosiłeś?

– Że co? Zgłupiałaś? Nie miałem ochoty wylądować w szpitalu. Ale jest pewna różnica, Susie.

– Czyżby?

– Nie jesteśmy już w siódmej klasie. A poza tym ja miałem jakiś powód, nawet jeżeli to był głupi, szczeniacki powód. A ty? Co ci zrobiła ta biedna kretynka?

Nie potrafiła na to odpowiedzieć. W całym swoim życiu zamieniła z Carrie może ze sto słów, z czego połowę właśnie dzisiaj. Od czasu ukończenia szkoły podstawowej spotykały się tylko na lekcjach wuefu. Carrie chodziła do klasy o profilu handlowym. Sue oczywiście miała indywidualny tok nauki.

Nagle poczuła wstręt do siebie.

Nie mogła tego znieść, więc wyładowała się na nim.

– Od kiedy to się zrobiłeś taki strasznie moralny? Odkąd zacząłeś mnie rżnąć?

Zobaczyła, że uśmiech zniknął z jego twarzy, i zrobiło jej się przykro.

– W ogóle nie powinienem się odzywać – powiedział i podciągnął spodnie.

– To nie twoja wina. – Położyła mu rękę na ramieniu. – Wstydzę się, rozumiesz?

– Widzę – odparł. – Ale nie powinienem się wtrącać i udzielać rad. Nie najlepiej mi to wychodzi.

– Tommy, czy nie złości cię czasem, że masz... no, powodzenie?

– Ja? – Pytanie wywołało zdziwienie na jego twarzy. – Chodzi ci o futbol i że jestem gospodarzem klasy, i tak dalej?

– Właśnie.

– Nie. To nie ma wielkiego znaczenia. Szkoła średnia się nie liczy. Kiedy jeszcze chodzisz do szkoły, wydaje ci się, że to najważniejsze, ale kiedy jest po wszystkim, nikt tak naprawdę się tym nie przejmuje, chyba że sobie popije. W każdym razie tak jest z moim bratem i jego kumplami.

45

Wcale jej to nie uspokoiło, na odwrót, poczuła się jeszcze gorzej. Mała Susie ze szkoły im. Ewena, największy chuligan w klasie, dobrze jej tak. Balowa suknia zamknięta na zawsze w szafie, okryta plastikowym workiem.

Ciemność napierała na pokryte mgłą szyby samochodu.

– Pewnie skończy się na tym, że zacznę pracować w warsztacie ojca – powiedział Tommy. – Weekendy będę spędzał u wujka Billa albo na mieście w „The Cavalier", żłopiąc piwo i opowiadając o swoich sukcesach w golfie. Ożenię się z jakimś okropnym babsztylem, zawsze będę miał najnowszy model samochodu i zacznę głosować na demokratów...

– Przestań – przerwała mu, czując, jak wypełnia ją ciemny, słodki strach. Przyciągnęła go do siebie. – Kochaj mnie. Coś złego się ze mną dzieje. Kochaj mnie. Kochaj mnie teraz.

Więc kochali się i tym razem było inaczej, tym razem jakoś znalazło się w niej więcej miejsca, i nie było już męczącego tarcia, ale rozkoszny, posuwisty ruch, coraz mocniejszy. Dwa razy musiał przerwać, dysząc, i opanować się, a potem znowu zaczynał

(byłam jego pierwszą dziewczyną i przyznał się do tego mógł skłamać a ja bym uwierzyła)

coraz mocniej i jej oddech przeszedł w urywane, głębokie westchnienia, a potem zaczęła krzyczeć, wczepiając się w jego plecy, niezdolna przestać, ociekająca potem, nareszcie obmyta ze strachu, i każda komórka wydawała się przeżywać własny orgazm, ciało jak gdyby roztapiało się w słońcu, w uszach brzmiał dźwięk muzyki, kolorowe motyle fruwały pod czaszką.

Później, w drodze do domu, zapytał ją formalnie, czy zechce pójść z nim na wiosenny bal. Powiedziała, że tak. Zapytał, czy zdecydowała coś w sprawie Carrie. Powiedziała, że nie. On zauważył, że to i tak nic nie zmieni. Ona nie odpowiedziała, ale pomyślała, że on nie ma racji. To mogło wszystko zmienić.

Dean D. L. McGuffin, „Telekineza: Analiza i wnioski" („Przegląd naukowy" 1982):

Oczywiście nadal wielu naukowców – niestety na pierwszym miejscu pośród nich znajdują się pracownicy Universytetu Duke

– odrzuca podstawowe wnioski o kapitalnym znaczeniu, wynikające z przypadku Carrie White. Podobnie jak Różokrzyżowcy czy Corlies z Arizony niewierzący w istnienie bomby atomowej – owi nieszczęśnicy w obliczu niepodważalnych faktów uciekają przed rzeczywistością, chowając głowę w piasek; niech mi czytelnik wybaczy tę niespójną metaforę.

Oczywiście można zrozumieć ogólną konsternację, podniesione głosy w dyskusji, pełne oburzenia listy i zaciekłą polemikę na zebraniach naukowych. Sama idea telekinezy stanowi kamień obrazy dla całego świata nauki, wraz z towarzyszącą jej oprawą rekwizytów rodem prosto z filmów grozy: mediów, wirujących stolików, zasłon poruszanych niewidzialną ręką i tak dalej; ale zrozumienie to za mało, żeby usprawiedliwić brak naukowej rzetelności.

Wstrząsający przypadek Carrie White stanowi problem niezwykle trudny do rozwiązania. Był to istotnie wstrząs, który sprawił, iż cała nasza uporządkowana wiedza o świecie runęła w gruzy. Czyż można się dziwić, że nawet tak znany fizyk jak Gerald Luporet nazwał publicznie całą sprawę oszustwem i mistyfikacją, mimo niepodważalnych dowodów przedstawionych przez Białą Komisję?*

Albowiem jeśli to prawda, to co z prawem Newtona?...

Siedziały w salonie, Carrie i mama, słuchając muzyki z adapteru Webcora, który mama nazywała gramofonem (kiedy była w wyjątkowo dobrym humorze, nazywała go „grajkiem"). Tennessee Ernie Ford śpiewał „Let the Lower Lights Be Burning". Carrie pochylała się nad maszyną do szycia i rytmicznie naciskając nogą pedał, przyszywała rękawy do nowej sukienki. Mama siedziała pod gipsowym krucyfiksem, szydełkując koronkową serwetkę i postukując nogą do taktu. Była to jedna z jej ulubionych pieśni. Pan P. P. Bliss, który ułożył ten hymn i mnóstwo innych, był dla mamy jednym ze świetlanych przykładów działania boskiej opatrzności. Pan Bliss był marynarzem i grzesznikiem (te dwa pojęcia w słowniku mamy były synonimami), wielkim bluźniercą, który śmiał się Wszechmocnemu w twarz. A potem nad-

---

* Gra słów: the White Commission – Komisja ds. (Carrie) White, ale również Biała Komisja.

szedł wielki sztorm i statek zaczął tonąć. Pan P. P. Bliss padł na swoje przeżarte grzechem kolana i oczyma duszy ujrzał wizję piekielnej otchłani ziejącej pod dnem oceanu, do której niechybnie zostanie strącony. Wtedy pan P. P. Bliss zaczął się modlić do Boga; obiecał, że jeśli Bóg go uratuje, pan Bliss poświęci mu resztę swego życia. Oczywiście sztorm od razu się uspokoił.

Święty promień Jego łaski
prowadzi nas po wiek wieków,
a dla błądzących w ciemnościach
zapala światła na brzegu...

Wszystkie hymny pana P. P. Blissa przesiąknięte były atmosferą morza.

Sukienka, którą Carrie szyła, była nawet niebrzydka, w kolorze ciemnego wina – najbardziej zbliżony do czerwieni kolor, jaki mama pozwalała jej nosić – a rękawy były bufiaste. Carrie usiłowała skupić się wyłącznie na szyciu, ale rzecz jasna jej myśli wędrowały we wszystkich kierunkach.

Salon oświetlało jaskrawożółte, kłujące w oczy górne światło; mała, zakurzona pluszowa kanapka była oczywiście pusta (Carrie nigdy nie miała chłopca, żeby z nim siedzieć), a na ścianie naprzeciwko drzwi widniał podwójny cień: ukrzyżowany Jezus, a pod nim – mama. Ze szkoły przekazano telefonicznie wiadomość do pralni i o dwunastej mama wróciła do domu. Carrie przez okno patrzyła, jak mama idzie ulicą, i nogi się pod nią uginały.

Mama była bardzo wysoka i zawsze chodziła w kapeluszu. Ostatnio zaczęły jej puchnąć nogi, a stopy zawsze jakby wylewały się z pantofli. Nosiła czarny wełniany płaszcz z czarnym futrzanym kołnierzem. Jej niebieskie oczy, powiększone przez dwuogniskowe okulary bez oprawek, patrzyły bystro i surowo. Zawsze miała ze sobą dużą czarną skórzaną torbę, a w niej portmonetkę, książeczkę czekową (jedno i drugie czarne), wielką Biblię Króla Jakuba (również czarną) z nazwiskiem właścicielki wytłoczonym złotymi literami na okładce i plik broszurek religijnych spiętych gumką. Broszurki były najczęściej pomarańczowe i niechlujnie wydrukowane.

Carrie domyślała się niejasno, że mama i tata Ralph byli dawniej baptystami, ale przestali chodzić do kościoła, odkąd przekonali się, że baptyści ulegają podszeptom antychrysta. Od tego czasu wszystkie nabożeństwa odbywały się w domu. Mama odprawiała nabożeństwa w niedziele, wtorki i piątki. To były tak zwane święte dni. Mama była księdzem, Carrie kongregacją wiernych. Nabożeństwa trwały od dwóch do trzech godzin. Mama otworzyła drzwi i powoli weszła do środka z twarzą pozbawioną wyrazu. Przez chwilę spoglądały na siebie poprzez niewielką szerokość holu, jak rewolwerowcy przed oddaniem strzałów. Był to jeden z tych krótkich momentów, które później, w retrospekcji

(strach czyżby to naprawdę był strach w jej oczach w oczach mamy)

wydają się o wiele dłuższe.

Mama zamknęła za sobą drzwi.

– Jesteś kobietą – powiedziała cicho.

Carrie czuła, jak jej twarz trzęsie się i wykrzywia, i nic na to nie mogła poradzić.

– Dlaczego mi nie powiedziałaś?! – krzyknęła. – Och, mamo, tak się bałam! A wszystkie dziewczyny śmiały się ze mnie i rzucały...

Mama już się do niej zbliżała, a teraz jej ręka wystrzeliła nagle do przodu jak błyskawica, wielka ręka, muskularna, stwardniała od ciężkiej pracy. Trzasnęła Carrie wierzchem dłoni w szczękę. Carrie upadła na podłogę obok drzwi do salonu i rozpłakała się na cały głos.

– I Bóg stworzył Ewę z żebra Adama. – Za okularami bez oprawek ogromne oczy mamy wyglądały jak sadzone jajka. Szturchnęła Carrie nogą, a Carrie krzyknęła z bólu. – Wstawaj, kobieto. Uklęknij i módl się. Módl się do Jezusa za swoją grzeszną, słabą, nędzną kobiecą duszę.

– Mamo...

Gwałtowny szloch nie pozwolił jej dokończyć. Długo powstrzymywana histeria w końcu wybuchła. Carrie bełkotała coś bez związku, śmiała się i płakała na przemian. Nie mogła wstać, tylko czołgała się do salonu, oślepiona przez spadające na oczy włosy, zachrypła od głośnych szlochów. Przez cały czas mama pomagała jej kopniakami. W ten sposób dotarły przez salon do kaplicy, niegdyś stanowiącej małą sypialnię.

– A Ewa była słaba... powtórz to, kobieto. Powtórz to!

– Nie, mamo, proszę cię, pomóż mi...

Mama wymierzyła jej kopniaka. Carrie wrzasnęła.

– Ewa była słaba i sprowadziła zło na ten świat – ciągnęła mama – i to był grzech, i pierwszym grzechem był stosunek płciowy. I Pan rzucił przekleństwo na Ewę, i to było Przekleństwo Krwi. I Adam i Ewa zostali wygnani z raju, i musieli iść w świat, i Ewa zobaczyła, że w jej brzuchu rośnie dziecko.

Stopa z rozmachem wylądowała na plecach Carrie. Carrie przesunęła się do przodu, szorując nosem po drewnianej podłodze. Były już w kaplicy. Na stole nakrytym jedwabnym haftowanym obrusem stał krzyż, a po obu jego stronach białe świece. Nad stołem wisiały oleodruki przedstawiające Jezusa i jego apostołów. A po prawej znajdowało się najgorsze ze wszystkich miejsc, miejsce, gdzie lęgło się przerażenie, wypełnione ciemnością dławiącą ostatni promyk nadziei, ostatnią iskierkę buntu przeciwko boskim – i mamy – przykazaniom. Otwarte drzwi do komórki łypały na nią złośliwie. Wewnątrz ohydna niebieska żarówka, paląca się bez przerwy, oświetlała malowidło Derraulta stanowiące ilustrację do słynnego kazania Jonathana Edwardsa: „Gniew boży spadnie na grzeszników".

– I Pan rzucił drugie przekleństwo na Ewę, i to było Przekleństwo Narodzin, i Ewa porodziła Kaina w bólu i krwi.

Teraz mama zaciągnęła Carrie do ołtarza i obie padły na kolana. Mama mocno ściskała Carrie za przegub ręki.

– A po Kainie Ewa porodziła Abla i nie żałowała za grzech stosunku płciowego. I wtedy pan zesłał na Ewę trzecią klątwę, i to było morderstwo. Kain powstał na Abla i zabił go. Ale Ewa dalej nie żałowała za grzechy, ani jej córki, i to przez nie nastało królestwo szatana, gdzie cierpią ladacznice i potępieni.

– Mamo! – zapiszczała Carrie. – Mamo, proszę, wysłuchaj mnie! To nie była moja wina!

– Pochyl głowę – odparła mama. – Módlmy się.
– Powinnaś była mi powiedzieć!

Mama oparła jej dłoń na karku i nacisnęła, wkładając w to całą siłę potężnych mięśni, wytrenowanych w ciągu jedenastu lat przesuwania ciężkich kotłów z praniem i dźwigania stosów wilgotnej pościeli. Carrie poleciała głową do przodu i uderzyła czołem w krawędź ołtarza. Na obrusie pojawił się krwawy ślad. Świece zadygotały.

– Módlmy się – powtórzyła mama cicho, nieubłaganie.

Szlochając i pociągając nosem, Carrie pochyliła głowę. Z nosa jej pociekło, więc wytarła to (gdybym dostawała centa za każdym razem, kiedy zmuszała mnie do płaczu w tym pokoju) wierzchem dłoni.

– O Panie – zaintonowała mama z namaszczeniem, odchylając głowę do tyłu – spraw, aby ta grzeszna kobieta obok mnie uznała swój grzech. Naucz ją, że gdyby pozostała bez grzechu, nigdy nie dosięgłoby jej przekleństwo krwi. Może popełniła grzech nieskromnych myśli. Może słuchała rock and rolla przez radio. Może uległa podszeptom antychrysta. Naucz ją, że to Twoja mściwa dłoń ją pokarała, i...

– Nie! Puść mnie!

Spróbowała się wyrwać, ale ręka mamy, bezlitosna i ciężka jak żelazna sztaba, przykuła ją do podłogi.

– ...i że to był Twój znak. Naucz ją, że musi kroczyć wąską ścieżką cnoty, jeśli nie chce przez wieczność jęczeć w płomieniach piekieł. Amen.

Spojrzenie błyszczących, nienaturalnie powiększonych oczu spoczęło na Carrie.

– Teraz idź do komórki.

– Nie! – Z przerażenia zabrakło jej tchu.

– Idź do komórki. Módl się. W samotności błagaj o wybaczenie za swój grzech.

– Ja nie zgrzeszyłam, mamo. To ty zgrzeszyłaś. Nic mi nie powiedziałaś i wszyscy się ze mnie śmieli.

Znowu wydawało się jej, że dostrzegła w oczach mamy błysk strachu, tak przelotny i trudny do zauważenia jak letnia błyska-

51

wica. Mama zaczęła popychać Carrie w stronę błękitnej poświaty buchającej z komórki.

– Módl się do Boga, a wtedy może zmyjesz z siebie grzech.

– Mamo, puść mnie.

– Módl się, kobieto.

– Mamo, mogę sprawić, że znowu spadną kamienie.

Mama znieruchomiała.

Przez chwilę wydawało się, że nawet przestała oddychać.

A potem jej ręce zacisnęły się wokół szyi Carrie, zacisnęły się, aż Carrie zobaczyła przed oczami czerwone mroczki i poczuła, że ziemia umyka jej spod nóg.

– Ty diabelskie nasienie – wyszeptała mama. – Za co Bóg mnie tak pokarał?

Myśli Carrie wirowały szaleńczo; czuła, że umiera, i pragnęła znaleźć jakieś słowa dostatecznie mocne, żeby wykrzyczeć swój strach, nienawiść, rozpacz, ból. Całe jej dotychczasowe życie wydawało się zbiegać w tym jednym żałosnym, nieudanym akcie buntu. Wytrzeszczyła oczy, szeroko otwarła pełne śliny usta.

– TY KURWO! – wrzasnęła.

Mama zasyczała jak rozwścieczony kot.

– Grzech! – krzyknęła. – Straszny grzech! – Zaczęła bić Carrie po plecach i po głowie. Bezlitośnie ciągnęła opierającą się córkę do komórki zalanej błękitnym światłem.

– TY PIZDO! – wrzasnęła Carrie.

(tak tak o tak to prawda i nic mi nie może zrobić o boże tak)

Wepchnięta głową naprzód do komórki zatoczyła się, uderzyła o ścianę naprzeciwko drzwi i upadła na podłogę, niemal tracąc przytomność. Drzwi zatrzasnęły się, szczęknął klucz w zamku.

Została sama z rozgniewanym Bogiem mamy. Błękitne światło lśniło na wizerunku wielkiego, brodatego Jahwe, który strącał z chmur wrzeszczące tłumy ludzi w otchłań ognia. W dole widać było czarne, przerażające postacie potępieńców skręcające się w płomieniach, a diabeł zasiadał na ogromnym, ogniście czerwonym tronie, z trójzębem w ręku. Miał ciało człowieka, głowę szakala i ogon najeżony kolcami.

Tym razem mnie nie złamie.

Ale oczywiście się załamała. Trwało to sześć godzin, ale w końcu nie wytrzymała, rozpłakała się i zaczęła wołać, żeby mama ją wypuściła. Potrzeba oddania moczu stała się torturą. Diabeł śmiał się z niej, wykrzywiając szakali pysk, a jego szkarłatne oczy znały wszystkie sekrety kobiecej krwi. Jeszcze godzinę mama ją tam trzymała. Carrie ostatkiem sił popędziła do łazienki.

Dopiero teraz, trzy godziny później, siedząc przy maszynie do szycia z pochyloną głową, jak skruszona grzesznica, przypomniała sobie ten strach w oczach mamy i pomyślała, że wie, dlaczego mama się bała.

W przeszłości zdarzało się parę razy, że mama zamykała ją w komórce na cały dzień – kiedy ukradła ten pierścionek za czterdzieści dziewięć centów w sklepie Shubera, kiedy schowała pod poduszkę zdjęcie Flasha Bobby'ego Picketta, a mama je znalazła – raz nawet Carrie zemdlała z głodu i od smrodu własnych odchodów. I nigdy, nigdy dotąd nie odpowiadała mamie tak jak dzisiaj. Dzisiaj powiedziała nawet brzydkie słowo. A mimo to mama wypuściła ją prawie od razu, kiedy Carrie zaczęła wołać.

Tak. Sukienka była gotowa. Carrie zdjęła stopę z pedału, strzepnęła sukienkę i przyjrzała się jej. Sukienka była długa. I brzydka. Carrie nienawidziła jej.

Wiedziała, dlaczego mama ją wypuściła.

– Mamo, mogę iść spać?

– Tak. – Mama nie podniosła wzroku znad swojej robótki.

Carrie przerzuciła sukienkę przez ramię. Popatrzyła na maszynę do szycia. Pedał opadł nagle, igła zaczęła poruszać się w górę i w dół, rzucając metaliczne błyski. Szpulka nici podskoczyła i zatrzęsła się. Boczne koło obracało się coraz szybciej.

Mama gwałtownie poderwała głowę i spojrzała rozszerzonymi oczami. Ręka jej drgnęła, opuściła jedno oczko w skomplikowanym wzorze, psując precyzyjną robótkę.

– Tylko wyciągam nitkę – powiedziała Carrie spokojnie.

– Idź spać – rozkazała krótko mama. W jej oczach znowu mignął strach.

53

– Dobrze...

(bała się że wyrwę drzwi z zawiasów)

– ...mamo.

(mogłam to zrobić mogłam to zrobić tak mogłam to zrobić)

Nadejście cienia (s. 58):

Margaret White urodziła się i wychowała w Motton, miasteczku niedaleko Chamberlain. W Motton nie było szkoły, więc Margaret musiała dojeżdżać do Chamberlain. Jej rodzice, ludzie stosunkowo zamożni, prowadzili dobrze prosperujący nocny bar „Wesoły zajazd", usytuowany tuż za granicą miasta. Ojciec Margaret, John Brigham, zginął w lecie 1959 roku podczas strzelaniny, która wywiązała się w barze.

Margaret Brigham, która miała wówczas prawie trzydzieści lat, zaczęła uczęszczać na zebrania kościelne sekty fundamentalistów. Jej matka znalazła sobie następnego mężczyznę (był to Harold Alison, którego później poślubiła). Oboje chcieli pozbyć się Margaret z domu – Margaret uważała, że Judith, jej matka, i Harold Alison żyją w grzechu, i nieraz głośno dawała wyraz swoim poglądom. Judith Brigham była przekonana, że jej córka zostanie starą panną. Przyszły ojczym Margaret wyrażał się o niej w bardziej uszczypliwy sposób; powiedział, że Margaret „miała twarz jak tył ciężarówki i nie lepszą figurę". Twierdził również, że „wiecznie się modliła".

Margaret mieszkała w domu rodziców aż do 1960 roku, kiedy to na wielkim zebraniu religijnym poznała Ralpha White'a. We wrześniu tegoż roku opuściła dom Brighamów w Motton i przeprowadziła się do małego mieszkanka w centrum Chamberlain.

Ślub Margaret Brigham i Ralpha White'a odbył się 23 marca 1962 roku. Trzeciego kwietnia karetka pogotowia zabrała Margaret White do szpitala w Westover.

– Nie, nigdy nam nie powiedziała, co jej było – mówi Harold Alison. – Kiedy jedyny raz poszliśmy ją odwiedzić w szpitalu, oświadczyła nam, że chociaż się pobraliśmy, to i tak żyjąc ze sobą, popełniamy cudzołóstwo i będziemy smażyć się w piekle za grzechy. Powiedziała, że Bóg napiętnował nasze czoła niewidzialnym stygmatem hańby, ale ona i tak go widzi. Zachowywała się jak wariatka. Matka próbowała ją uspokoić. Chciała się dowiedzieć, na co jest chora. Wtedy Margaret wpadła w histerię i zaczęła bredzić, że anioł z mieczem ognistym będzie chodził po parkingach moteli i zabijał grzeszników. Więc wyszliśmy.

Jednakże Judith Alison domyślała się, dlaczego jej córka leży w szpitalu. Uważała, że Margaret poroniła. Gdyby tak było rzeczywiście, dziecko musiałoby być poczęte przed ślubem. Potwierdzenie tego faktu mogłoby stanowić interesujący przyczynek do tego, co już wiemy o charakterze matki Carrie.

W swoim długim i dość histerycznym liście do matki, datowanym na 19 sierpnia 1962 roku, Margaret pisała, że ona i Ralph żyją w czystości, powstrzymując się od „grzechu stosunku płciowego". Nalegała, żeby Harold i Judith Alisonowie również tak postępowali, a przede wszystkim żeby zamknęli bar, który stanowi „jaskinię rozpusty".

„Tylko wtedy – ostrzegała w zakończeniu swojego listu – ty i ten mężczyzna zdołacie uniknąć Kary Boskiej. Ralph i ja, tak jak Maria i Józef, nigdy nie poznamy i nie splugawimy nawzajem swoich ciał. Co do reszty, zdajemy się na Boską Opatrzność".

Oczywiście z kalendarza wynika, że Carrie została poczęta nieco później tego samego roku...

Dziewczęta w milczeniu przebierały się na pierwszą poniedziałkową lekcję gimnastyki. Tym razem nikt się nie wygłupiał i nie wrzeszczał. Nikt też się nie zdziwił, kiedy w drzwiach stanęła nagle panna Desjardin. Jak zwykle, srebrny gwizdek dyndał jej między małymi piersiami, a jeśli nawet miała na sobie te same szorty co w piątek, to nie został na nich najmniejszy ślad krwi Carrie.

Dziewczęta dalej przebierały się w ponurej ciszy, starając się na nią nie patrzeć.

– Chyba w tym roku zdajecie maturę? – odezwała się cicho panna Desjardin. – Kiedy to ma być? Za miesiąc? A jeszcze przedtem mamy wiosenny bal. Założę się, że większość was ma już partnerów i sukienki. Sue, ty na pewno idziesz z Tommym Rossem. Helen z Royem Evartsem. Chris z pewnością będzie mogła przyprowadzić swojego kawalera. Kto jest tym szczęściarzem?

– Billy Nolan – odparła Chris ponuro.

– Cóż, chłopak ma szczęście – powiedziała panna Desjardin. – Co zamierzasz mu ofiarować na pamiątkę tego spotkania, Chris?

Zakrwawiony tampon? A może trochę używanego papieru toaletowego? Zdaje się, że ostatnio kolekcjonujesz takie przedmioty?

Chris poczerwieniała.

– Wychodzę. Nie muszę tego wysłuchiwać.

Przez cały weekend panna Desjardin nie mogła się pozbyć sprzed oczu obrazu zabeczanej, rozhisteryzowanej Carrie. Wciąż widziała ten tampon, który utkwił w jej włosach łonowych – i wciąż na nowo przeżywała swoją wściekłość i wstyd.

Więc teraz, kiedy Chris chciała wybiec z szatni, panna Desjardin pchnęła ją na rząd obdrapanych szafek, pomalowanych na kolor zgniłej zieleni. Zaskoczona Chris popatrzyła na nią z niedowierzaniem. Potem na jej twarzy pojawił się wyraz morderczej furii.

– Nie wolno pani nas bić! – wrzasnęła. – Za to się idzie do więzienia! Przekonasz się o tym, ty dziwko!

Pozostałe dziewczęta drgnęły, spuściły oczy i wbiły wzrok w podłogę. Sprawy zaszły trochę za daleko. Sue kątem oka dostrzegła, że Fern i Donna Thibodeau trzymają kciuki.

– Wszystko mi jedno, Hargensen – oświadczyła panna Desjardin. – Jeśli myślisz... jeśli którakolwiek z was myśli, że przemawiam ze stanowiska nauczycielki, to bardzo się mylicie. Chcę tylko wam powiedzieć, że to, co zrobiłyście w piątek, to zwykłe świństwo. Zwykłe, parszywe świństwo.

Chris Hargensen wpatrywała się w podłogę z drwiącym wyrazem twarzy. Pozostałe dziewczęta starannie omijały wzrokiem twarz nauczycielki. W pewnej chwili Sue zorientowała się, że patrzy na kabinę pryszniców – miejsce przestępstwa – i pospiesznie przeniosła spojrzenie gdzie indziej. Nigdy przedtem nie słyszały, żeby nauczycielka nazywała cokolwiek „parszywym świństwem".

– Czy żadna z was nie pomyślała, co przeżywa Carrie White? Czy wy w ogóle myślicie? Sue? Fern? Helen? Jessica? Czy któraś z was myśli? Uważacie, że jest brzydka. No więc powiem wam, że to wy jesteście brzydkie. Zobaczyłam to w piątek.

Chris Hargensen wymamrotała, że jej ojciec jest adwokatem.

– Zamknij się! – krzyknęła jej panna Desjardin prosto w twarz. Chris cofnęła się tak gwałtownie, że uderzyła tyłem głowy o szafkę. Jęknęła i potarła stłuczone miejsce.

– Jeszcze raz się odezwiesz, a przetrę tobą podłogę – ostrzegła ją cichym głosem panna Desjardin. – Chcesz się przekonać, czy mówię prawdę?

Chris najwyraźniej uznała, że ma do czynienia z wariatką, i nie odezwała się ani słowem.

Panna Desjardin oparła ręce na biodrach.

– Zarząd szkoły postanowił wymierzyć wam karę. Niestety, nie taką, jaką ja proponowałam. Chciałam, by zawieszono was na trzy dni w prawach ucznia i zakazano uczestniczenia w balu szkolnym.

Kilka dziewcząt wymieniło przerażone spojrzenia.

– To by was najbardziej zabolało – rzekła panna Desjardin. – Niestety w zarządzie zasiadają wyłącznie mężczyźni. Nie sądzę, żeby w pełni zdawali sobie sprawę, jak obrzydliwe było wasze zachowanie. Wobec tego przez tydzień dodatkowe zajęcia.

Spontaniczne westchnienie ulgi.

– Ale uwaga: to będą zajęcia ze mną. Na sali gimnastycznej. I postaram się, żebyście się nie nudziły.

– Ja nie przyjdę – oznajmiła Chris Hargensen. Jej usta zacisnęły się w wąską linię.

– To zależy tylko od ciebie, Chris. Każda z was może nie przyjść. Ale karą za opuszczenie dodatkowych zajęć będzie trzydniowe zawieszenie i zakaz uczestniczenia w szkolnym balu. Jasne?

Nikt się nie odezwał.

– W porządku. Przebierajcie się. I przemyślcie sobie to, co wam powiedziałam.

Wyszła.

Przez długą, niekończącą się chwilę panowała kompletna cisza. Potem Chris Hargensen zawołała piskliwym, histerycznym głosem:

– Ja jej tego nie daruję! – Gwałtownie otworzyła drzwi szafki, chwyciła ze środka tenisówki i szurnęła je przez całą długość szatni. – Już ja jej pokażę! Dziwka! Dziwka! Jeszcze zobaczycie! Jeśli wszystkie razem pójdziemy na skargę...

– Zamknij się, Chris – powiedziała Sue głosem tak kompletnie wypranym z emocji, że aż sama się przestraszyła. – Po prostu się zamknij.

– To jeszcze nie koniec – oświadczyła Chris Hargensen, brutalnym szarpnięciem rozpinając zamek błyskawiczny u spódnicy. Sięgnęła po swoje modnie wystrzępione zielone szorty gimnastyczne. – Jeszcze zobaczycie.

I miała rację.

Nadejście cienia (s. 60–61):

W opinii owego naukowca wielu spośród specjalistów wypowiadających się na temat Carrie White – zarówno w prasie codziennej, jak i na łamach periodyków naukowych – kładło niczym nieuzasadniony nacisk na brak jakichkolwiek danych o występowaniu przypadków telekinezy w dzieciństwie Carrie. Z grubsza biorąc, można ich porównać do psychiatrów spędzających całe lata na tropieniu przypadków masturbacji w dzieciństwie gwałciciela.

Niesamowita historia z kamieniami wykorzystywana jest zwykle przez tych ludzi jako koronny argument w dyskusji. Wielu badaczy hołduje błędnym arbitralnym poglądom, że jeśli jakaś rzecz raz się wydarzyła, to niechybnie wydarzy się ponownie. Nadal operując analogiami, można to porównać do wysyłania ekipy specjalistów od obserwacji meteorów do Crater National Park, ponieważ przed dwoma milionami lat rozbiła się w tym miejscu ogromna asteroida.

Zgodnie z moimi informacjami w dzieciństwie Carrie poza tym jednym wypadkiem nie zaobserwowano żadnych innych przejawów zdolności TK. Gdyby Carrie nie była jedynaczką, najprawdopodobniej moglibyśmy uzyskać znacznie więcej danych o wielu drobnych wydarzeniach.

W przypadku Andrei Kolintz (patrz Dodatek II) dowiedzieliśmy się między innymi, iż w następstwie lania, które otrzymała za włażenie na dach, „apteczka sama się otworzyła, buteleczki z lekarstwami latały w powietrzu i spadały na podłogę łazienki, drzwi same otwierały się i zatrzaskiwały z hukiem, a w punkcie kulminacyjnym całego zamieszania zestaw stereo ważący 300 funtów przewrócił się na podłogę, a płyty zaczęły latać po całym pokoju, trafiając w domowników lub roztrzaskując się o ściany".

Znamienne jest, że sprawozdanie to pochodzi od jednego z braci Andrei; zamieścił je magazyn „Life" w numerze z 4 czerwca 1955 roku. „Life" z pewnością nie może być traktowany jako źródło wiarygodnych informacji naukowych, ale skądinąd wiadomo, że istnieje obszerna dokumentacja na ten temat, opracowana na podstawie zeznań członków rodziny.

W przypadku Carrie White jedynym ewentualnym świadkiem początkowych przejawów zdolności TK mogła być jej matka, a jak wiadomo, Margaret White nie żyje.

Henry Grayle, dyrektor Szkoły Średniej im. Ewena, spodziewał się wizyty ojca Chris przez cały tydzień, ale pan Hargensen pojawił się dopiero w piątek – w dzień po tym, kiedy Chris opuściła dodatkowe zajęcia z groźną panną Desjardin.

– Tak, panno Fish? – powiedział Grayle do telefonu wewnętrznego urzędowym tonem, chociaż przez oszklone drzwi swego gabinetu mógł widzieć, kto wchodzi do sekretariatu, i z pewnością znał twarz pana Hargensena ze zdjęć w lokalnej prasie.

– Pan Hargensen do pana, panie dyrektorze.

– Proszę, niech wejdzie. – Do cholery, Fish, czy musisz mówić takim przerażonym tonem? – pomyślał.

Grayle bez przerwy musiał sobie wynajdywać jakieś zajęcia dla rąk: rozginał spinacze, obracał w palcach ołówki, robił kulki z papieru. Na spotkanie z Johnem Hargensenem, reprezentującym najwyższą instancję prawa w mieście, zaopatrzył się w ciężką amunicję – całe pudło biurowych spinaczy, które ustawił pośrodku biurka na bibularzu.

Hargensen był wysokim mężczyzną o imponującym wyglądzie i zdecydowanych ruchach. Na jego wyrazistej twarzy malowała się pewność siebie głosząca wszem wobec, że jej właściciel zajmuje uprzywilejowaną pozycję w społeczeństwie.

Miał na sobie brązowy garnitur z Savile Row uszyty z tkaniny mieniącej się delikatnymi refleksami zieleni i złota. W porównaniu z nim podniszczony garnitur Grayle'a – dzieło miejscowego krawca – wyglądał wręcz żałośnie. Cienka aktówka z prawdziwej skóry połyskiwała okuciami z nierdzewnej stali. Olśniewający uśmiech ukazywał rząd nieskazitelnych zębów – pod wpływem tego uśmiechu serca kobiet zasiadających na ławie przysięgłych topniały jak masło na gorącej patelni. Uścisk jego ręki był również pełen życzliwości – mocny, zdecydowany, męski.

– Panie dyrektorze, od dawna już chciałem pana poznać.

– Zawsze cieszą mnie wizyty rodziców. – Grayle uśmiechnął się sucho. – Dlatego właśnie co roku w październiku odbywają się otwarte zebrania rodzicielskie.

– Rozumiem. – Teraz uśmiechnął się Hargensen. – Panie Grayle, z pewnością jest pan człowiekiem zajętym, a ja również muszę być w sądzie za czterdzieści pięć minut. Czy możemy wobec tego przejść do rzeczy?

– Oczywiście. – Grayle sięgnął do pudełka ze spinaczami, wyjął jeden i zaczął go obracać w palcach. – Przypuszczam, że chodzi panu o postępowanie dyscyplinarne przeciwko pana córce Christine. Powinienem na wstępie poinformować pana, że zarząd szkoły przyjął w tej sprawie określoną politykę. Jako pracownik wymiaru sprawiedliwości z pewnością pan rozumie, że nie możemy naginać przepisów do swojej woli ani też...

Hargensen przerwał mu niecierpliwym ruchem ręki.

– Najwyraźniej zaszło nieporozumienie, panie Grayle. Przyszedłem tu, ponieważ moja córka została brutalnie pobita przez nauczycielkę gimnastyki, pannę Ritę Desjardin. Mam również podstawy przypuszczać, że została znieważona. Muszę pana poinformować, że panna Desjardin użyła w stosunku do mojej córki określenia „parszywa".

Grayle westchnął w duchu.

– Panna Desjardin otrzymała naganę.

Uśmiech Johna Hargensena stał się lodowaty.

– Obawiam się, że nagana nie jest w tym wypadku odpowiednią karą. Zdaje się, że ta młoda ee... dama pracuje w zawodzie nauczycielki dopiero od roku?

– Tak. Uważamy, że znakomicie wywiązuje się ze swoich obowiązków.

– Najwidoczniej do tych obowiązków zalicza pan popychanie uczennic na ściany i używanie rynsztokowych wyrażeń?

– Jako prawnik – odparował Grayle – musi pan wiedzieć, że prawodawstwo tego stanu uznaje prawa do szkoły *in loco parentis* – wraz z pełną odpowiedzialnością, czyli że podczas godzin nauki szkoła pełni zastępczo obowiązki rodziców. Jeśli nie był pan o tym poinformowany, radzę panu zapoznać się ze sprawą „Wydział Oświaty Monondock kontra Cranepool" albo też...

– Owszem, orientuję się w tym zagadnieniu – odparł Hargensen. – Wiadomo mi również, że ani w sprawie Cranepoola, na którą wy, przedstawiciele administracji, tak lubicie się powoływać, ani w sprawie Fricka nie istniała najlżejsza podstawa do oskarżenia o znieważenie czynne lub werbalne. Natomiast oskarżenie takie padło w sprawie „Wydział Oświaty nr 4 kontra David". Czy zna pan jej wynik?

Grayle znał. George Kramer, zastępca dyrektora szkoły średniej w okręgu nr 4, był jego partnerem do pokera. George nie grywał już w pokera. Pracował w towarzystwie ubezpieczeniowym, odkąd został oskarżony o obcięcie uczniowi włosów. Zarząd szkoły musiał zapłacić około siedmiu tysięcy dolarów tytułem odszkodowania.

Grayle wyjął następny spinacz.

– Przestańmy przerzucać się przykładami, panie Grayle, obaj nie mamy na to czasu. Nie chcę przysparzać panu więcej kłopotów niż to konieczne. Nie chcę zamieszania wokół tej sprawy. Moja córka nie była dzisiaj w szkole. Nie pójdzie również do szkoły w poniedziałek i we wtorek, dopóki nie skończy się jej trzydniowe zawieszenie. W porządku? – Następne niecierpliwe machnięcie ręką.

(łap fido dobry piesek masz tu piękną kość)

– A oto moje warunki – mówił dalej Hargensen. – Po pierwsze, zaproszenie na bal dla mojej córki. Bal wiosenny miał dla niej wielkie znaczenie i Chris jest zrozpaczona. Po drugie, szkoła nie odnowi kontraktu z tą Desjardin. To dla mnie. Jestem pewien, że gdybym zechciał pozwać Wydział Oświaty do sądu, uzyskałbym nie tylko jej zwolnienie, ale również wysokie odszkodowanie. Ale nie chcę się mścić.

– Zatem sąd jest alternatywą, jeżeli nie zgodzę się na pańskie żądania?

– Oczywiście najpierw musiałoby się odbyć przesłuchanie przed komisją do spraw oświaty. Ale tak, w ostatecznym rezultacie sprawa znalazłaby się w sądzie. Dla pana mogłoby się to nieprzyjemnie skończyć.

Następny spinacz.

– Oskarżenie o fizyczne i słowne znieważenie, czy tak?

– Dokładnie tak.

– Panie Hargensen, czy wiadomo panu, że pańska córka i z dziesięć jej podobnych obrzuciło tamponami sanitarnymi dziewczynę, która po raz pierwszy w życiu dostała miesiączki? Dziewczynę, która myślała, że ma krwotok i wykrwawi się na śmierć?

Hargensen lekko zmarszczył brwi, jakby nasłuchiwał czyjegoś głosu z drugiego końca pokoju.

– Pańskie zarzuty nie mają żadnego związku ze sprawą. Mówiłem o tym, co nastąpiło później...

– Nieważne – przerwał Grayle. – Tę dziewczynę, Cariettę White, nazwały „głupią barylą" i wrzeszczały do niej, żeby „zatkała sobie", z towarzyszeniem rozlicznych obscenicznych gestów. Czy według pana należy to uznać za fizyczne i słowne znieważenie? Bo według mnie tak.

– Nie mam zamiaru siedzieć tu i wysłuchiwać steku kłamstw o mojej córce ani też pańskich pouczeń, panie Grayle. Znam swoją córkę wystarczająco dobrze, żeby...

– Proszę. – Grayle sięgnął do drucianego koszyka na papiery, wyjął plik różowych kart i rzucił je na biurko. – Wątpię, czy naprawdę zna pan dziewczynę opisaną w tej kartotece tak dobrze, jak pan twierdzi. Gdyby pan ją znał, wiedziałby pan, że trzeba ją krótko trzymać. Najwyższy czas, żeby pan się nią poważnie zajął, zanim pańska córka wyrządzi komuś prawdziwą krzywdę.

– Pan nie ma prawa...

– Cztery lata w szkole imienia Ewena – Grayle nie dopuścił go do głosu. – Matura dwudziestego dziewiątego czerwca, w przyszłym miesiącu. Poddana testowi na iloraz inteligencji. Uzyskała wynik osiemdziesiąt trzy przy maksymalnej liczbie punktów sto czterdzieści. Jednakże została przyjęta do Oberlin. Przypuszczam, że ktoś – prawdopodobnie pan, panie Hargensen – pociągnął za odpowiednie sznurki. Siedemdziesiąt cztery razy karana za różne przewinienia, z tego dwadzieścia razy za dokuczanie słabszym lub niepopularnym koleżankom. Takim brzydkim kaczątkom. Skądinąd wiem, że paczka Chris nazywa te uczennice „kaszaloty". Uważają, że to bardzo śmieszne. Opuściła dodatkowe wyznaczone za karę zajęcia pięćdziesiąt jeden razy. W szkole podstawowej w Chamberlain raz była zawieszona za to, że włożyła koleżance petardę do buta... na karcie jest adnotacja, że przez ten mały figiel Irma Swope o mało nie straciła dwóch palców u nogi. Irma Swope miała zajęczą wargę. Mówię o pańskiej córce, panie Hargensen. Czy coś z tego do pana dociera?

– Owszem – powiedział Hargensen, wstając. – Dociera do mnie, że spotkamy się w sądzie. A kiedy już z panem skończę, to będzie pan miał szczęście, jeśli uda się panu otrzymać pracę domokrążcy.

Grayle również podniósł się, rozwścieczony, i obaj mężczyźni zmierzyli się wzrokiem.

– W takim razie do zobaczenia w sądzie – oświadczył Grayle.

Zauważył lekki przebłysk zdziwienia na twarzy Hargensena, skrzyżował palce i wystrzelił swoją ostatnią salwę – miał nadzieję, że tym znokautuje albo przynajmniej pośle tego gładkiego skurwysyna na deski i uratuje pannę Desjardin.

– Najwidoczniej nie zdaje pan sobie sprawy ze wszystkich implikacji sformułowania *in loco parentis*, panie Hargensen. To samo prawo, które chroni pana córkę, chroni również Carrie White. I w tej samej chwili, w której wystąpi pan z oskarżeniem o czynne i słowne znieważenie, my ze swej strony wystąpimy z takim samym oskarżeniem wobec pana córki w imieniu Carrie White.

Hargensenowi opadła szczęka; w końcu przemówił:

– To są nędzne kruczki. Nie ujdzie ci to na sucho, ty...

– Kanciarzu? Czy tego słowa chciał pan użyć? – Grayle uśmiechnął się ponuro. – Z pewnością trafi pan do wyjścia, panie Hargensen. Sankcje przeciwko pana córce pozostają w mocy. Jeśli zamierza pan poczynić dalsze kroki w tej sprawie, to pańska rzecz.

Hargensen sztywno przeszedł przez pokój, zatrzymał się na chwilę, jakby chciał jeszcze coś dodać, w końcu wyszedł, z trudem powstrzymując się od głośnego trzaśnięcia drzwiami.

Grayle wypuścił długo powstrzymywany oddech. Nietrudno było się domyślić, po kim Chris Hargensen odziedziczyła swój upór. A. P. Morton wszedł w chwilę później.

– Jak poszło?

– Czas pokaże, Morty – odparł Grayle. Popatrzył na kupkę powyginanych spinaczy i skrzywił się. – Zużyłem siedem sztuk. To swego rodzaju rekord.

– Czy on ma zamiar oddać sprawę do sądu?

– Nie wiem. Trafiło go, kiedy mu powiedziałem, że mamy kontroskarżenie.

– Ja myślę. – Morton zerknął na telefon na biurku Grayle'a. – Powinniśmy już chyba poprosić inspektora szkolnego, żeby się zajął tym całym bałaganem.

– Masz rację – zgodził się Grayle, podnosząc słuchawkę. – Dziękuję Bogu, że jestem ubezpieczony od bezrobocia.

– Ja też – powiedział Morton lojalnie.

Nadejście cienia (Dodatek III):
W siódmej klasie Carrie White napisała jako ćwiczenie z poezji pewien krótki wiersz. Pan Edwin King, który uczył ją wtedy angielskiego, powiedział później:
– Nie wiem sam, dlaczego ten wiersz przechowałem. Z pewnością nie dlatego, że Carrie utkwiła mi w pamięci jako wybitnie zdolna uczennica. Była bardzo małomówna, nie pamiętam, żeby kiedykolwiek z własnej inicjatywy zgłaszała się do odpowiedzi. Nie jest to bynajmniej wielka poezja – a jednak coś w tym wierszu jakby krzyczy o pomoc.

Jezus patrzy na mnie ze ściany,
a Jego twarz jest zimna jak kamień.
Ona powiada, że Jezus mnie kocha –
– więc czemu jestem taka samotna?

Strona, na której znajduje się ten krótki wiersz, została ozdobiona ornamentem składającym się z niezliczonych krzyży, które wydają się niemal tańczyć...

W poniedziałek po południu Tommy miał trening baseballu. Sue umówiła się z nim w śródmieściu, w barze Kelly Fruit Company.

Bar Kelly'ego był jedyną znajdującą się w pobliżu szkoły knajpą, którą mogła się poszczycić liberalnie nastawiona część społeczności Chamberlain, odkąd szeryf Doyle zamknął centrum rozrywki z obawy przed rozpowszechnieniem się narkomanii. Właściciel, tłusty, ponury, zrzędliwy Hubert Kelly, farbował sobie włosy na czarno i wiecznie się uskarżał, że jego elektroniczny stymulator serca o mało nie poraził go śmiertelnie prądem.

Sam lokal był kombinacją kawiarni, sklepu spożywczego i stacji benzynowej – przed wejściem stała zardzewiała pompa benzynowa z emblematem nieistniejącego już Towarzystwa „JN", którego to emblematu Hubie nigdy nie pofatygował się wymienić. Prócz tego można tam było dostać piwo, tanie wino, książki pornograficzne oraz bogaty asortyment podłych papierosów, takich jak Murady, King Sano i Marvel Straight. Na środku stał zbiornik z wodą sodową – z prawdziwego marmuru. Było tam również cztery czy pięć pojedynczych boksów dla samotnych lub nietowarzyskich, lub po prostu pechowców, co to nie mieli gdzie pójść, żeby się zalać. Stary automat do gry w trzy kręgi, który zawsze trząsł się i podrygiwał, kiedy wyskakiwało trzecie trafienie, mrugał światełkami za stosem książek pornograficznych.

Sue zobaczyła Chris Hargensen od razu, jak tylko weszła do środka. Chris siedziała w jednym z boksów w głębi. Jej aktualny chłopiec, Billy Nolan, przeglądał numer „Mechaniki dla wszystkich" przy półce z czasopismami. Sue nie mogła zrozumieć, co taka bogata i mająca powodzenie dziewczyna jak Chris widzi w Nolanie, który ze swoimi wybrylantynowanymi włosami, skórzaną kurtką błyszczącą od suwaków i zdezelowanym chevroletem wyglądał jak jakiś dziwaczny podróżnik w czasie, przeniesiony tu żywcem z 1950 roku.

– Sue! – zawołała Chris. – Chodź do nas!

Sue kiwnęła głową i pomachała jej ręką, chociaż czuła, jak dławiąca niechęć podchodzi jej do gardła. Patrząc na Chris, widziała oczyma duszy Carrie White kucającą w kącie kabiny i osłaniającą głowę rękami. Własna hipokryzja (przejawiająca się w serdecznym powitaniu) wydała jej się odrażająca i niezrozumiała. Dlaczego po prostu nie udała, że jej nie widzi?

– Duże ciemne piwo – powiedziała do Hubiego. Hubie miał prawdziwe słodowe ciemne piwo i podawał je w wielkich, oszronionych kuflach z 1890 roku. Sue z góry cieszyła się na długie, spokojne posiedzenie przy pełnym kuflu i ciekawym opowiadaniu z tygodnika. Uwielbiała ciemne piwo, chociaż wiedziała, że jest zabójcze dla figury. Ale teraz straciła jakoś na nie ochotę.

– Jak tam serce, Hubie? – zapytała.

– Wy, dzieciaki, nic z tego nie rozumiecie – oświadczył Hubie, zdejmując pianę z piwa Sue specjalnym przyrządem i dopełniając kufel po brzegi. – Nic a nic. Na przykład dzisiaj rano włączyłem do kontaktu maszynkę do golenia i dostałem sto dziesięć woltów prosto przez ten cholerny stymulator. Wy, dzieciaki, nie macie pojęcia, co to znaczy. Mam rację?

– Chyba tak.

– No pewnie. Niech was Bóg broni, żebyście kiedyś miały się o tym przekonać na własnej skórze. Jak długo jeszcze moja stara pompa to wytrzyma? Zobaczycie, że w końcu wyniosę się na wieś, a wtedy te półgłówki z komisji budowlanej zrobią na tym miejscu jeszcze jeden cholerny parking. Dziesięć centów.

Sue pchnęła dziesięciocentówkę przez marmurową ladę.

– Pięćdziesiąt milionów woltów prosto w serce – wymamrotał Hubie ponuro i popatrzył na niewielką wypukłość w kieszeni na piersiach.

Sue podeszła do boksu Chris i ostrożnie wśliznęła się na wolne miejsce. Chris wyglądała wyjątkowo ładnie. Jej czarne włosy przytrzymywała zielona opaska w koniczynki, a bluzka z baskinką uwydatniała jędrne, sterczące piersi.

– Co słychać, Chris?

– Jedno wielkie gówno – powiedziała Chris ze sztuczną wesołością. – Słyszałaś ostatnie nowiny? Nie pozwolili mi iść na bal. Zobaczysz, że ten kutas Grayle wyleci z pracy.

Sue słyszała o tym. Jak zresztą wszyscy w szkole.

– Tata ich załatwi – ciągnęła Chris. Przechyliła się ponad ramieniem Sue i zawołała: – Billyyy! Chodź się przywitać z Sue!

Billy rzucił czasopismo na półkę i zbliżył się do nich powolnym, niedbałym krokiem. Kciuki miał zatknięte za opadający nisko wojskowy pas, palce zwisały luźno nad wypukłością w kroku jego zwężanych u dołu levisów. Sue opanowało nagle poczucie nierealności całej sytuacji i musiała zwalczyć w sobie impuls, żeby zakryć twarz dłońmi i wybuchnąć niepowstrzymanym śmiechem.

– Cześć, Suze – powiedział Billy. Wśliznął się na miejsce obok Chris i natychmiast zaczął głaskać jej ramiona. Jego twarz była przy tym kompletnie bez wyrazu, jak gdyby obmacywał połeć wołowiny.

– W każdym razie mamy zamiar rozpieprzyć ten cały bal – oświadczyła Chris. – Jako protest czy coś takiego.

– Mówisz poważnie? – Sue była szczerze zdziwiona.

– Nie wiem – odparła Chris wymijająco. – Może. – Nieoczekiwanie jej twarz wykrzywiła się w gwałtownym przypływie furii, przypominającym nagłe trzęsienie ziemi. – Ta cholerna Carrie White! To wszystko przez nią! Może sobie w dupę wsadzić swoje modlitwy!

– Jakoś to przeżyjesz – mruknęła Sue.

– Gdybyście tylko wszystkie poszły razem ze mną... Jezu, Sue, dlaczego się złamałaś? Mogłyśmy ich trzymać za jaja. Nigdy bym nie pomyślała, że tak pozwalasz sobą kręcić.

Sue poczuła, że twarz zalewa jej fala gorąca.

– Nikomu nie pozwalam sobą kręcić. Przyjęłam karę, bo uważam, że na nią zasłużyłam. Zachowałyśmy się jak ostatnie gnojki. Nic więcej nie mam do powiedzenia.

– Bzdura. Ta pieprznięta Carrie łazi wszędzie i opowiada, że wszyscy pójdziemy do piekła prócz niej i jej drogocennej mamusi, a ty jeszcze jej bronisz? Trzeba było wsadzić jej te tampony w gębę.

– Jasne. Pewnie. Na razie, Chris. – Sue wygramoliła się z boksu.

Tym razem to Chris się zaczerwieniła; fala krwi zalała jej twarz, jakby nagle padł na nią czerwony odblask.

– Zaczynasz odstawiać Joannę d'Arc? O ile dobrze pamiętam, brałaś w tym udział razem ze wszystkimi.

– To prawda – odparła Sue, drżąc. – Ale przestałam.
– Och, naprawdę? – zawołała Chris drwiąco. – Już to widzę.
Zabieraj swoje piwo. Jeszcze go dotknę niechcący i zamieni się
w złoto.
Sue nie zabrała piwa. Odwróciła się i potykając się, wyszła z baru. Była kompletnie roztrzęsiona, tak roztrzęsiona, że nawet nie
mogła płakać. Zawsze starała się żyć ze wszystkimi w zgodzie.
Odkąd wyrosła z wieku pociągania za warkocze, ani razu nie zdarzyło jej się z kimś posprzeczać czy podnieść na kogoś rękę. To
była pierwsza prawdziwa kłótnia w jej życiu. I po raz pierwszy
w życiu musiała bronić swoich zasad.

I oczywiście Chris trafiła ją w czułe miejsce, trafiła dokładnie
w jej piętę achillesową; Sue była hipokrytką, nie ma co ukrywać,
i w głębi duszy wiedziała aż za dobrze, że do uczestniczenia w dodatkowych lekcjach rytmiki panny Desjardin i wyczerpujących biegach dookoła sali gimnastycznej skłaniały ją nie tylko szlachetne
motywy. Chodziło o bal, o jej ostatni wiosenny bal, i Sue w żadnym wypadku nie miała zamiaru go stracić. W żadnym wypadku.
Tommy'ego nigdzie nie było widać.
Zaczęła powoli iść w kierunku szkoły, żołądek podchodził jej
do gardła ze zdenerwowania, mała Suzy, Miss Kółka Studenckiego, grzeczna dziewczynka, robiąca to tylko z chłopcem, za którego zamierza wyjść za mąż – oczywiście zawiadomienie o ślubie zostanie wydrukowane jak należy w dodatku niedzielnym.
Dwoje dzieci. Sprać je na kwaśne jabłko, jeśli tylko spróbują
żyć bez zakłamania: zabronić im się pieprzyć, zabronić im się bić,
przypilnować, żeby szczerzyły zęby do każdego, kto jest od nich
silniejszy.
Wiosenny bal. Błękitna suknia. Bukiecik trzymany w lodówce przez całe popołudnie. Tommy w białym smokingu z kwiatkiem w klapie, czarne lakierki, czarne wieczorowe spodnie. Rodzice stłoczeni na sofie w salonie, robiący zdjęcia kodakami
i polaroidami. Błyskające flesze. Kolorowa bibułka przesłaniająca gołe belki sufitu w sali gimnastycznej. Dwie orkiestry: jedna rockowa, druga tradycyjna. Żadne brzydkie kaczątka nie
otrzymały zaproszenia. Kaszaloty, trzymajcie się z daleka. Tylko

kandydaci do podmiejskiego klubu i przyszli mieszkańcy reprezentacyjnych dzielnic willowych.

Łzy w końcu utorowały sobie drogę i Sue zaczęła płakać.

Nadejście cienia (s. 60):

Cytowany wyjątek pochodzi z listu Chris Hargensen do Donny Kellogg. Państwo Kelloggowie pod koniec 1978 roku przenieśli się do Providence, Rhode Island. Ich córka była widocznie jedną z bliskich, zaufanych przyjaciółek Chris Hargensen. List jest datowany na 17 maja 1979 roku:

„No więc zabronili mi iść na bal, a mój ojciec sra w portki ze strachu i nic nie robi. Ale ja im tego nie daruję. Nie wiem jeszcze dokładnie, co zrobię, ale gwarantuję ci, że wszyscy będą mieli cholerną niespodziankę...".

To był siedemnasty. Siedemnasty maja. Od razu, gdy tylko narzuciła na siebie długą, białą koszulę nocną, skreśliła ten dzień z kalendarza. Skreślała każdy kolejny dzień grubym, czarnym flamastrem i podejrzewała, że to oznacza bardzo złe nastawienie do życia. Miała to w nosie. Obchodziła ją tylko jedna rzecz: jutro mama każe jej znowu iść do szkoły i znowu będzie musiała stanąć z nimi twarzą w twarz.

Usiadła koło okna w małym bostońskim fotelu na biegunach (kupionym za własne pieniądze) i wyrzuciła z głowy ich i wszystkie świadome myśli. Przypominało to zamiatanie podłogi. Podnieść dywan podświadomości i wmieść pod spód wszystkie brudy. Do widzenia.

Otworzyła oczy. Popatrzyła na szczotkę do włosów leżącą na biurku.

Skręt.

Próbowała podnieść szczotkę. Szczotka była ciężka. Jak gdyby dźwigała ogromną sztangę. Och. Jęknęła.

Szczotka przesunęła się poza krawędź biurka, do punktu, w którym siła ciężkości powinna ją przeważyć, i zakołysała się jakby na niewidzialnej nitce. Oczy Carrie zwęziły się w szparki. Krew pulsowała jej w skroniach. Zjawiska, jakie zachodziły w tym momencie w jej organizmie, mogłyby zainteresować jakiegoś lekarza, chociaż nie miały żadnego racjonalnego wytłumaczenia. Częstotliwość oddychania spadła do szesnastu wdechów na minutę. Ciśnienie krwi skoczyło do 190/100. Serce uderzało w tempie 140 razy na minutę – szybciej niż serca astronautów przy wielkim przeciążeniu. Temperatura spadła do 34,6°C. Jej ciało promieniowało energią, która zdawała się napływać znikąd i również uchodziła donikąd. Elektroencefalogram mógłby pokazać fale alfa nie dłuższe niż u przeciętnego człowieka, ale spiętrzone w ostre, spiczaste sygnały.

Ostrożnie opuściła szczotkę na biurko. Dobrze. Zeszłej nocy szczotka spadła jej na ziemię. Tracisz wszystkie punkty, idziesz do więzienia.

Ponownie zamknęła oczy i zaczęła się bujać. Fizyczne funkcje organizmu wydawały się powracać do normy. Oddychała coraz szybciej, prawie dyszała. Fotel lekko skrzypiał. Z jakiegoś powodu to wcale nie było denerwujące. Raczej uspokajające. Skrzyp, skrzyp... Kołysz się. Oczyść swój umysł.

– Carrie? – Z dołu dobiegł ją lekko zaniepokojony głos matki.

(czuje zakłócenia jak radio kiedy coś się włączy dobrze dobrze)

– Pomodliłaś się, Carrie?

– Właśnie się modlę! – odkrzyknęła.

Tak. To prawda, modliła się.

Popatrzyła na swoje wąskie, twarde łóżko.

Skręt.

Przeraźliwie ciężkie. Masywne. Nie do poruszenia. Łóżko zatrzęsło się i jeden koniec uniósł się może na trzy cale.

Opadło na podłogę z głośnym trzaskiem. Z nikłym uśmieszkiem igrającym na ustach Carrie czekała, aż mama krzyknie na nią z dołu gniewnym głosem. Mama się nie odezwała. Po chwili Carrie wstała, podeszła do łóżka i wślizgnęła się między chłodne prześcieradła. Jak zawsze po tych ćwiczeniach, bolała ją głowa i niezbyt pewnie trzymała się na nogach. Serce waliło jej w piersiach gwałtownie, przerażająco.

Wyciągnęła rękę, zgasiła światło i opadła na plecy. Poduszki nie było. Mama nie pozwalała jej używać poduszki.

Myślała o czarownicach, wiedźmach i chochlikach
(czy jestem czarownicą mamo diabelskim pomiotem)
jak grasują po nocy, zakwaszają mleko, psują masło w maślnicy, zsyłają zarazę na zboże, podczas gdy oni kryją się po domach i zamykają za sobą szczelnie drzwi z nagryzmolonymi magicznymi znakami, chroniącymi przed nieszczęściem. Zamknęła oczy. Zasnęła i przyśniły jej się ogromne żywe kamienie spadające z nieba wśród nocy, szukające mamy, szukające ich, żeby ich zmiażdżyć. Próbowali uciekać, chować się. Ale nie skryją się pod skałą; uschnięte drzewo nie da im schronienia.

Susan Snell *Nazywam się Susan Snell* (Simon and Schuster, Nowy Jork 1986), s. I–V:
Wszyscy, którzy interesowali się tym, co zaszło w Chamberlain w Noc Zagłady, nie zrozumieli pewnej rzeczy. Nie zrozumieli tego dziennikarze, nie zrozumieli uczeni z Universytetu Duke, nie zrozumiał David Congress – chociaż jego *Nadejście cienia* jest bodajże jedyną względnie przyzwoitą książką napisaną na ten temat – i z pewnością nie zrozumiała tego Biała Komisja, dla której byłam wygodnym kozłem ofiarnym.
Ta rzecz to fakt najbardziej znaczący w tej sprawie: byliśmy dziećmi.
Carrie miała siedemnaście lat, ja miałam siedemnaście lat, Tommy Ross miał osiemnaście, Billy Nolan (który powtarzał dziewiątą klasę, ponieważ – jak sądzę – nie nauczył się dobrze ściągać podczas egzaminów) miał dziewiętnaście lat...
Młodzi ludzie w tym wieku potrafią już lepiej od dzieci przystosować się do społecznie akceptowanych norm zachowania, ale nadal zdarza im się podejmować nieprzemyślane, pochopne decyzje, reagować z przesadną gwałtownością czy też nie doceniać następstw swojego postępowania.
W pierwszej części, poprzedzonej tym wstępem, pragnę to pokazać na własnym przykładzie w możliwie najbardziej przekonujący sposób. Zamierzam omówić przyczyny, które skłoniły mnie do zaangażowania się w tę całą sprawę, i jeśli mam oczyścić swoje imię, muszę zacząć od przywołania scen, które są dla mnie szczególnie bolesne...

71

Opowiadałam już przedtem tę historię, najczęściej przed Białą Komisją, która przyjmowała ją z niedowierzaniem. W obliczu takich faktów, jak śmierć dwóch setek ludzi i zniszczenie całego miasta, zbyt łatwo można zapomnieć o jednym: byliśmy dziećmi. Byliśmy dziećmi. Byliśmy dziećmi, które starały się postępować jak najlepiej...

– Chyba ci odbiło.
Patrzył na nią spod oka, jakby nie chciał uwierzyć w to, co usłyszał. Siedzieli w salonie jego rodziców. Telewizor był włączony, ale nie zwracali na niego uwagi. Matka poszła z wizytą do pani Klein, mieszkającej naprzeciwko. Ojciec robił domek dla ptaków w warsztacie mieszczącym się w piwnicy.
Sue wyglądała na zmieszaną, ale zdecydowaną.
– Właśnie tak chcę to załatwić, Tommy.
– No więc ja tego nie chcę tak załatwiać. Uważam, że to największy idiotyzm, jaki kiedykolwiek słyszałem. Takie rzeczy robi się, gdy chodzi o zakład.
Rysy jej twarzy stwardniały.
– Tak? Zdaje się, że to ty wczoraj wieczorem miałeś pełną gębę morałów. Ale widzę, że potrafisz tylko gadać, a jak przychodzi co do czego...
– Hej, zaczekaj. – Wcale nie był obrażony. Uśmiechał się.
– Przecież jeszcze nie powiedziałem, że się nie zgadzam. Na razie.
– Ty...
– Zaczekaj. Zaczekaj chwilę. Daj mi coś powiedzieć. Chcesz, żebym zaprosił Carrie White na wiosenny bal. Okay, w porządku. Ale jest parę spraw, których nie rozumiem.
– Wymień je. – Nachyliła się ku niemu.
– Po pierwsze, co to da? A po drugie, dlaczego przypuszczasz, że ona przyjmie moje zaproszenie?
– Nie przyjmie? Ależ... – Sue zaczęła się plątać. – Przecież ty... wszyscy cię lubią i w ogóle...
– Oboje wiemy, że Carrie nie ma specjalnie powodu interesować się ludźmi, których wszyscy lubią.
– Z tobą na pewno pójdzie.

– Dlaczego?

Przyparta do muru Sue wydawała się jednocześnie dumna i zmieszana.

– Widziałam, jak na ciebie patrzy. Kocha się w tobie. Jak połowa dziewczyn w szkole.

Tommy przewrócił oczami.

– Ja tylko ci mówię – powiedziała Sue obronnym tonem. – Wiem, że nie będzie mogła ci odmówić.

– Załóżmy, że to prawda. – Tommy westchnął. – A co z tą drugą sprawą?

– To znaczy, co to da? Ależ... w ten sposób wyjdzie ze swojej skorupy, to jasne. Stanie się... – Znowu utknęła.

– Normalną dziewczyną? Daj spokój, Suze. Sama nie wierzysz w te bzdury.

– W porządku – odparła. – Może nie wierzę. Ale wiem, że muszę coś zrobić, żeby to naprawić.

– To, co się stało w piątek?

– O wiele więcej. Gdyby tylko o to chodziło, mogłabym to olewać, ale to się ciągnie już od szkoły podstawowej. Robią sobie z niej jaja. Parę razy ja też w tym brałam udział. Nie za każdym razem, ale czasami tak. Gdybym była w jednej klasie z Chris, na pewno częściej by tak było. Zawsze wydawało mi się, że to... och, kupa śmiechu. Dziewczyny potrafią być w takich sprawach cholernie zawzięte, a chłopcy tego nie rozumieją. Chłopcy robią Carrie kawały i zaraz o tym zapominają, ale dziewczyny... to się ciągnie i ciągnie, i nikt już nawet nie pamięta, jak się zaczęło. Gdybym była na miejscu Carrie, to chyba bałabym się pokazać ludziom na oczy. Po prostu schowałabym się w jakiejś dziurze.

– Wtedy byłyście dziećmi – sprzeciwił się Tommy. – Dzieciaki często nie wiedzą, co robią. Często nawet nie rozumieją, że swoim postępowaniem kogoś krzywdzą. Nie mają tej, no, empatii. Jasne?

Słowa Tommy'ego nasunęły jej pewne spostrzeżenie, które wydało jej się tak ważne, że natychmiast usunęło w cień incydent w szatni. Spróbowała je wyrazić w słowach.

– Ale prawie nikt nie potrafi zrozumieć, że swoim postępowaniem może wyrządzić komuś krzywdę! Ludzie z wiekiem nie stają się lepsi, stają się tylko sprytniejsi. Kiedy jesteś starszy i mądrzejszy, to wcale nie przestajesz obrywać skrzydełek muchom, po prostu potrafisz wymyślić lepsze powody, żeby to usprawiedliwić. Wiele osób twierdzi, że przykro im z powodu Carrie, że jej żałują – głównie dziewczyny, śmieszne, nie? – ale założę się, że żadna z nich nie ma pojęcia, co to znaczy być kimś takim jak Carrie White, znosić to dzień po dniu, przez cały czas. I wcale ich to nie obchodzi.

– A ciebie?

– Nie wiem! – krzyknęła. – Ale wiem, że ktoś powinien w końcu coś zrobić... coś, co się liczy... udowodnić, że żałuje.

– W porządku. Zaproszę ją.

– Naprawdę? – wypadło to płasko i bezbarwnie, trochę tak, jakby mu nie dowierzała. W głębi duszy nie sądziła, że się zgodzi.

– Naprawdę. Ale myślę, że mi odmówi. Przeceniasz moje wdzięki. Całe to powodzenie to bzdura. Niepotrzebnie się tym tak podniecasz.

– Dziękuję ci – powiedziała i zabrzmiało to dziwnie, jakby skazaniec dziękował katowi za torturę.

– Kocham cię – odparł.

Spojrzała na niego zaskoczona. Słyszała to od niego po raz pierwszy.

Nazywam się Susan Snell (s. 6):
Dla wielu ludzi – głównie mężczyzn – nie było w tym nic dziwnego, że poprosiłam Tommy'ego, by zabrał Carrie na wiosenny bal. Dziwiło ich raczej, że Tommy się zgodził, co świadczy o tym, że mężczyźni nie spodziewają się zbyt wiele altruizmu po innych przedstawicielach swojej płci.

Tommy zgodził się, ponieważ mnie kochał i dlatego, że ja tego chciałam. Skąd pani może wiedzieć, że panią kochał? – zapyta w tym momencie jakiś sceptyk z galerii. Ponieważ mi to powiedział, proszę pana. I gdyby pan go znał, nie mógłby pan w to wątpić...

Zapytał ją w czwartek, po lunchu, i był przy tym tak zdenerwowany, jak gdyby wybierał się na swój pierwszy bal. Właśnie skończyła się piąta lekcja. Carrie siedziała cztery rzędy przed nim i żeby do niej dotrzeć, musiał przepychać się przez masę kłębiących się ciał. Uczniowie spieszyli do wyjścia. Przy stoliku nauczyciela pan Stephens, wysoki, zaczynający nieco przybierać na wadze mężczyzna, wpychał w roztargnieniu papiery do brązowej teczki.

– Carrie?

– Ehem?

Podniosła wzrok znad książek z nagłym przestrachem, jakby spodziewała się, że ją uderzy. Dzień był pochmurny i w klasie paliły się świetlówki. W tym oświetleniu jej blada cera nie wyglądała zbyt korzystnie. Ale po raz pierwszy zauważył (ponieważ po raz pierwszy naprawdę na nią patrzył), że z pewnością nie można jej było nazwać odrażającą. Twarz miała raczej okrągłą niż owalną, a oczy tak ciemne, że wydawały się rzucać cień na policzki, jakby były podkrążone z niewyspania. Ciemnoblond, lekko wijące się włosy ściągnięte były do tyłu i zwinięte w kok; w tym uczesaniu nie było jej dobrze. Pełne, niemal zmysłowe usta odsłaniały naturalną biel zębów. O jej ciele trudno było cokolwiek powiedzieć. Luźny, workowaty sweter ukrywał piersi, tak że widać było tylko niewielkie wypukłości. Okropna spódnica w nieokreślonym kolorze, sięgająca do pół łydki zgodnie z modą z 1958 roku, miała dziwaczną, niezgrabną linię przypominającą literę A. Same łydki były mocne, krągłe (co bez sensu i bez powodzenia próbowały ukryć grube podkolanówki wrzosowego koloru) i zgrabne. Spoglądała na niego z lekko przestraszonym wyrazem twarzy, ale było w tym coś jeszcze. Wiedział, co to jest, rozpoznał to nieomylnie. Sue miała rację. Przez głowę przemknęła mu wątpliwość, czy wobec tego to, co robi, nie pogorszy jeszcze sytuacji, zamiast ją naprawić.

– Jeśli nie umówiłaś się z nikim na bal, może poszłabyś ze mną?

Carrie zamrugała oczami i w tej samej chwili stała się dziwna rzecz. Trwało to nie dłużej niż ułamek sekundy, ale było tak wyraźne, że później mógł sobie wszystko z łatwością przypomnieć. Pamiętał to tak dokładnie, jak się pamięta niektóre sny albo nieoczekiwane wrażenie déjà vu. Poczuł zawrót głowy, jakby jego ciało wymknęło się spod kontroli umysłu – nieprzyjemne, prze-

75

lotne uczucie, przypominające mu rzadkie chwile, kiedy wypił za dużo i zbierało mu się na wymioty.

A potem to minęło.

– Co? Co?

Przynajmniej nie była zła. Oczekiwał wybuchu wściekłości i miażdżącej odmowy. Ale nie była rozgniewana; raczej chyba zupełnie nie wiedziała, jak się zachować. Oprócz nich w klasie nie było nikogo; trafił dokładnie na moment między odpływem jednej fali uczniów a nadejściem następnej.

– Wiosenny bal – powtórzył, lekko wstrząśnięty. – To już w przyszły piątek i wiem, że trochę późno cię zapraszam, ale...

– Przestań się ze mnie nabijać – powiedziała cicho, opuszczając głowę. Zawahała się przez sekundę, a potem przeszła obok niego. Zatrzymała się i odwróciła, a on nagle dostrzegł w niej jakąś godność, coś tak naturalnego, że wątpił, czy ona sama zdaje sobie z tego sprawę. – Czy wy myślicie, że przez cały czas możecie się ze mnie nabijać? Przecież wiem, z kim ty chodzisz.

– Chodzę, z kim chcę – odrzekł Tommy cierpliwie. – Zaprosiłem cię, bo chcę, żebyś ze mną poszła. – I w końcu mówił prawdę. Jeśli Sue chciała odpokutować za swoje grzechy, mogła to robić na własny rachunek.

Do klasy zaczęli wchodzić uczniowie na szóstą lekcję. Paru z nich przyglądało im się ciekawie. Dale Ullman powiedział coś do chłopca, którego Tommy nie znał, i obaj parsknęli śmiechem.

– Chodźmy – mruknął Tommy. Wyszli razem na korytarz.

Szli obok siebie, jakby przez przypadek, i byli w połowie drogi do czwartego skrzydła (klasa Tommy'ego znajdowała się po przeciwnej stronie), kiedy Carrie odezwała się tak cicho, że ledwie ją usłyszał:

– Chciałabym. Bardzo bym chciała.

Tommy był dostatecznie spostrzegawczy, żeby zrozumieć, że to nie miało oznaczać zgody, i ponownie opadły go wątpliwości. Ale skoro zaczął...

– No więc zgódź się. Będzie fajnie. Zobaczysz. Oboje się o to postaramy.

76

– Nie – odparła, nagle zasmucona, i w tej chwili wydawała się niemal piękna. – To byłby koszmar. – Jeszcze nie mam biletów – oznajmił Tommy, jak gdyby jej nie usłyszał. – Dzisiaj jest ostatni dzień sprzedaży. – Hej, Tommy, coś ci się pomyliło! – wrzasnął Brent Gillian. Carrie przystanęła. – Spóźnisz się. – Pójdziesz? – Spóźnisz się – powtórzyła w roztargnieniu. – Spóźnisz się na lekcję. Zaraz będzie dzwonek. – Pójdziesz? – Tak – powiedziała z bezsilnym gniewem. – Dobrze wiedziałeś, że pójdę. – Otarła oczy wierzchem dłoni. – Nie wiedziałem – zaprzeczył. – Ale teraz wiem. Przyjadę po ciebie o wpół do ósmej. – Świetnie – szepnęła. – Dziękuję. – Wyglądała, jakby miała zaraz zemdleć. A wtedy Tommy, coraz bardziej zmieszany, dotknął jej ręki.

Nadejście cienia (s. 74–76):

W całej sprawie Carrie White przypuszczalnie żaden czynnik nie był tak często błędnie rozumiany, fałszywie interpretowany czy też ubierany w osłonki tajemniczości, jak rola odegrana przez Thomasa Everetta Rossa, nieszczęsnego partnera Carrie na wiosennym balu w Szkole Średniej im. Ewena.

Morton Cratzchbarken w swoim celowo rozdmuchanym przemówieniu wygłoszonym w zeszłym roku na forum Krajowego Stowarzyszenia ds. Zjawisk Psychicznych oświadczył, iż za dwa najbardziej wstrząsające wydarzenia dwudziestego wieku uważa zamordowanie Johna Kennedy'ego w 1963 roku i zniszczenie miasta Chamberlain, Maine, w maju 1979 roku. Cratzchbarken zwraca uwagę na fakt, że oba te wydarzenia zostały szeroko rozgłoszone przez środki masowego przekazu i oba okazały się równie brzemienne w skutki, ponieważ, na dobre czy złe, w nieodwracalny sposób zapoczątkowały pewien proces. Jeśli można przeprowadzić takie porównanie, Thomas Ross odegrał rolę Lee Harveya Oswalda – człowieka, który nacisnął spust i zapoczątkował katastrofę. Pozostaje jednak nadal pytanie, czy zrobił to świadomie.

Susan Snell, jak sama przyznała, miała być partnerką Rossa na dorocznym balu. Twierdzi, że namawiała Rossa, żeby zamiast niej zaprosił Carrie, ponieważ pragnęła naprawić zło, które wyrządziła, biorąc udział w incydencie w szatni. Ci, którzy odrzucają tę wersję (na ich czele stanął ostatnio George Jerome z Harvardu), uważają, że jest to albo przekręcanie faktów w celu nadania im romantycznego zabarwienia, albo zwykłe kłamstwo.

Sam Jerome argumentuje z dużą elokwencją i przekonaniem, że dorastającym dziewczętom w wieku szkolnym na ogół nie przychodzi do głowy, że muszą za cokolwiek „odpokutować" – zwłaszcza za wyrządzenie przykrości koleżance, która przez cały okres pobytu w szkole spotykała się z ostracyzmem ze strony otoczenia.

„Gdybyśmy mogli uwierzyć, że w naturze dorastającego człowieka leży skłonność do takich wspaniałomyślnych gestów, jak pomaganie słabszym od siebie – pisze Jerome w ostatnim wydaniu „Atlantic Monthly" – zapewne wszyscy czulibyśmy się podniesieni na duchu. Wiemy jednak, że prawda wygląda inaczej. W stadzie kur osobnik najsłabszy zawsze jest ostatni w kolejności dziobania; jeśli upadnie, jego współtowarzysze bynajmniej nie pomagają mu się podnieść – raczej dobijają go szybko i bezlitośnie".

Jerome ma oczywiście rację – przynajmniej jeśli chodzi o zwyczaje kur – i jego elokwentne wypowiedzi niewątpliwie w dużym stopniu przyczyniły się do podtrzymania hipotezy „złośliwego kawału", hipotezy, do której przyjęcia skłaniała się Biała Komisja, chociaż w końcu ją odrzuciła. Teoria ta zakłada, że Ross i Christine Hargensen (patrz s. 10–18) byli głównymi uczestnikami w spisku mającym na celu zwabienie Carrie White na wiosenny bal, żeby tam ostatecznie ją upokorzyć. Niektórzy spekulujący na ten temat ludzie (głównie autorzy kryminałów) twierdzą, że również Sue Snell brała czynny udział w tej zmowie. Teoria ta stawia tajemniczego pana Rossa w najgorszym świetle – przedstawia go jako złośliwego kawalarza, który z rozmysłem wpędza niezrównoważoną dziewczynę w krytyczną sytuację, narażając ją na wyjątkowo przykry wstrząs.

W świetle tego, co wiemy o charakterze pana Rossa, trudno mi jednak uwierzyć w tę teorię. W wielu paszkwilanckich opracowaniach napisanych bez znajomości rzeczy autorzy malują obraz Tommy'ego Rossa jako niezbyt błyskotliwego osiłka, całkowicie pozbawionego własnego zdania; według nich najlepiej pasuje do niego określenie „tępak".

Prawdą jest, że Tommy Ross był wybitnie utalentowanym sportowcem. Jego ulubionym sportem był baseball i począwszy od drugiej klasy, Tommy grał w reprezentacyjnej drużynie szkoły im. Ewena. Dick O'Connell, trener drużyny Boston Red Sox, zapewniał mnie, że Tommy mógłby otrzymać wysoką gażę za podpisanie kontraktu – gdyby oczywiście pozostał przy życiu.

Ale Ross był również piątkowym uczniem (co niezbyt pasuje do określenia „tępak"), a jego rodzice twierdzą, iż sam Tommy zdecydował, że baseball będzie musiał poczekać, dopóki nie ukończy studiów. Zamierzał studiować anglistykę, a jego zainteresowania obejmowały między innymi pisanie wierszy. Jeden z jego wierszy, napisany na sześć miesięcy przed śmiercią, został wydrukowany w szkolnej gazetce „Everleaf". Udostępniamy go czytelnikom w Dodatku V.

Nie bez znaczenia jest fakt, iż ci spośród jego szkolnych kolegów i koleżanek, którzy przeżyli, również wysoko oceniają jego inteligencję. Wiadomo, że tak zwaną Noc Zagłady (określenie to zawdzięczamy prasie popularnej) przeżyło zaledwie dwunastu uczniów. Osoby, które nie uczestniczyły w balu, byli to w większości uczniowie mało lubiani i nietowarzyscy. Jeśli nawet ci outsiderzy pamiętają Rossa jako miłego, życzliwego kolegę (wielu z nich określiło go jako „cholernie fajnego gościa"), to tym samym teza profesora Jerome'a nie wytrzymuje krytyki. Świadectwa szkolne Rossa (niestety prawo stanowe nie zezwala na ich publikowanie) oraz wypowiedzi krewnych, sąsiadów i nauczycieli, zestawione razem, tworzą obraz nieprzeciętnego młodego człowieka. Tym samym stworzony przez profesora Jerome'a wizerunek sprytnego młodego chuligana, bezkrytycznie naśladującego zachowanie rówieśników, okazuje się całkowicie bezpodstawny. Ross najwyraźniej miał w sobie wystarczająco dużo niezależności, żeby nie licząc się z opinią otoczenia, zaprosić Carrie na bal. W istocie Thomas Ross wydaje się rzadko spotykanym typem młodego człowieka, który ma świadomość swoich praw i obowiązków w społeczeństwie.

Nie zamierzam oczywiście twierdzić, że Thomas Ross był świętym. Raczej trudno byłoby tego dowieść. Ale wnikliwe badania przekonały mnie, ku mojej satysfakcji, że nie był również jednym z wielu bezrozumnych stworzeń w szkolnym kurniku, bezmyślnie przyłączającym się do akcji zadziobywania na śmierć najsłabszego...

Leżała
(nie boję się nie boję się jej)
na łóżku, zasłaniając oczy ramieniem. Był sobotni wieczór. Jeśli chciała zdążyć uszyć sukienkę na bal, musiałaby zacząć najpóźniej
(nie boję się mamy)
jutro. Kupiła już materiał u Johna w Westover – ciężki, kosztow-
ny, miękko układający się aksamit, tak wspaniały, że aż ją to prze-
raziło. Przeraziła ją również cena, czuła się onieśmielona w tym
wielkim sklepie, gdzie wytworne damy w lekkich wiosennych sukniach przechadzały się bez pośpiechu, oglądając bele materiałów.
Atmosfera tego miejsca miała w sobie jakiś posmak obcości,
jakby tysiące mil dzieliło je od domu towarowego Woolwortha
w Chamberlain, gdzie zwykle robiła zakupy.

Czuła się onieśmielona, ale to jej nie powstrzymało. W każdej
chwili mogłaby przecież sprawić, że te wytworne damy wybiegną
z krzykiem na ulicę. Poprzewracać meble, zwalić na ziemię ma-
nekiny, wystrzelić furkoczące bele materiałów aż pod sufit jak zwinięte chorągwie. Niby Samson w świątyni mogłaby rozwalić
cały budynek, gdyby tylko zechciała.

(nie boję się)
Paczka leżała teraz bezpiecznie ukryta na półce w piwnicy.
Zamierzała ją wyjąć. Dziś wieczorem.

Otworzyła oczy.

Skręt.

Biurko uniosło się w powietrze, kołysało się przez chwilę,
potem podjechało do góry, prawie pod sam sufit. Opuściła je. Podniosła. Opuściła. Teraz łóżko, z całym swoim ciężarem. Do góry. W dół. Do góry. W dół. Jak w windzie.

Prawie wcale nie była zmęczona. No, może trochę. Nie za bardzo. Nowo nabyta umiejętność, niemal nieistniejąca jeszcze dwa
tygodnie temu, w pełni rozkwitła. Rozwijała się z szybkością, która zdawała się...

Wręcz przerażająca.

A wraz z nią, niemal spontanicznie – jak zrozumienie zjawiska menstruacji – pojawiły się wspomnienia, jakby w jej umyśle
pękła jakaś tama, uwalniając wezbrane wody. Wspomnienia ma-

łej dziewczynki, niewyraźne, zniekształcone, a przecież tak rzeczywiste. Obrazy same poruszają się na ścianach; z kranów nieoczekiwanie zaczyna lecieć woda; mama prosi ją
(Carrie pozamykaj okna będzie padać)
żeby coś zrobiła, i nagle w całym domu okna zatrzaskują się same z donośnym hukiem; w volkswagenie panny Macaferty otwierają się wentyle i ze wszystkich czterech kół uchodzi powietrze; kamienie –
(!!!!!!!nie nie nie nie nie!!!!!!!)
ale nie można już dłużej odrzucać tego wspomnienia, tak jak nie można odrzucać istnienia miesiączki; to wspomnienie nie było niewyraźne, lecz ostre i jaskrawe jak błysk oślepiającego światła; mała dziewczynka
(mamo przestań mamo nie mogę złapać tchu duszę się o moje gardło o mamo przepraszam że patrzyłam mamo boli o boli krew w ustach)
biedna mała dziewczynka
(wrzask ty mała bezwstydnico o już ja wiem jak to jest dobrze wiem co trzeba zrobić)
biedna mała dziewczynka leży w drzwiach komórki, połową ciała na zewnątrz, a połową w środku, przed oczami tańczą czarne gwiazdy, odległy, słodki szum w uszach, z otwartych ust wystaje opuchnięty język, na szyi głębokie sińce i otarcia w miejscach, gdzie mama ją dusiła, a potem mama wraca, zbliża się do niej, ściskając długi nóż rzeźnicki taty Ralpha
(zniszczyć muszę zniszczyć zło zgorszenie ohydny grzech cielesny o już ja wiem co to jest twoje oczy wyłupię ci oczy)
w prawej ręce, twarz mamy wykrzywia się i trzęsie, ślina cieknie jej po brodzie, w drugiej ręce trzyma Biblię taty Ralpha
(nigdy więcej nie spojrzysz na to nagie wszeteczeństwo)
i coś skręciło w jej głowie, nie skręt, ale SKRĘT, jakaś ogromna, bezkształtna, tytaniczna siła, której źródło znajdowało się jak gdyby poza nią, a potem coś upadło na dach i mama krzyknęła, i upuściła Biblię taty Ralpha, i to było dobrze, a potem znowu coś huknęło i załomotało, i mama wypuściła z ręki nóż i upadła na kolana, i zaczęła się modlić, wznosząc ręce ku niebu i kołysząc się w przód

i w tył, podczas gdy krzesła w korytarzu sunęły po podłodze i wpadały na ściany, na górze przewracały się łóżka, stół z jadalni próbował wyskoczyć przez okno, a potem mama wytrzeszczyła oczy i pokazując palcem na małą dziewczynkę, wpatrzyła się w nią oszalałym wzrokiem

(to ty to ty diabelskie nasienie ty wiedźmo ty córko szatana ty to robisz)

a potem spadły kamienie i mama zemdlała, podczas gdy dach nad ich głowami trzeszczał i załamywał się, jak gdyby stąpał po nim Bóg, i wtedy...

Wtedy ona także zemdlała. Potem nic nie pamięta. Mama nie wspominała o tym ani słowem. Nóż rzeźnicki powrócił do szuflady. Mama zabandażowała jej ogromne czarne siniaki na szyi; Carrie wydawało się, że pamięta, jak zapytała mamę, skąd się wzięły te sińce, i przypomina sobie, że mama zacisnęła usta i nic nie powiedziała. Stopniowo zapomniała o wszystkim. Wspomnienia nachodziły ją tylko we śnie. Obrazy już nie poruszały się na ścianach. Okna nie zamykały się same. A Carrie nie pamiętała, że kiedyś było inaczej. Aż do tego dnia.

Leżała na łóżku, wpatrując się w sufit i ociekając potem.

– Carrie! Kolacja!

– Dziękuję...

(nie boję się)

– ...mamo.

Wstała i przewiązała włosy ciemnoniebieską wstążką. Potem zeszła na dół.

Nadejście cienia (s. 59):

W jaki sposób przejawiał się „samorodny talent" Carrie i co sądziła o tym Margaret White z punktu widzenia swojej krańcowo ortodoksyjnej chrześcijańskiej etyki? Prawdopodobnie nigdy się nie dowiemy. Podejrzewam jednak, że reakcja pani White również musiała być dość gwałtowna...

– Nawet nie ruszyłaś ciasta, Carrie. – Mama podniosła wzrok znad rozprawy, którą studiowała, popijając herbatę. – Domowe ciasto, świeżutkie.

– Dostaję od tego pryszczy, mamo.

– Twoje pryszcze to kara boska za grzechy. Zjedz ciasto.

– Mamo?

– Tak?

Carrie nabrała tchu i rzuciła się na głęboką wodę.

– Wiesz, Tommy Ross zaprosił mnie na wiosenny bal w piątek...

Rozprawka została zapomniana. Mama wpatrywała się w Carrie rozszerzonymi oczami z wyrazem twarzy „chyba-się-przesłyszałam". Nozdrza drgały jej jak u konia, który usłyszał suchy chrzęst grzechotnika.

Carrie spróbowała przełknąć kulę, która utkwiła jej w gardle, i tylko

(nie boję się o tak tak boję się)

częściowo jej się to udało.

– ...a to jest bardzo miły chłopiec. Obiecał, że wstąpi po mnie, żebyś mogła go poznać i...

– Nie.

– ...odwiezie mnie przed jedenastą. Ja się...

– Nie, nie, nie!

– ...zgodziłam. Mamo, proszę cię, zrozum, że muszę w końcu spróbować... spróbować jakoś żyć wśród ludzi. Nie jestem taka jak ty. Jestem śmieszna – to znaczy koleżanki uważają, że jestem śmieszna. Nie chcę już być śmieszna. Chcę spróbować stać się normalną dziewczyną, zanim będzie za późno, żeby...

Pani Wbite rzuciła córce w twarz swoją filiżankę z herbatą.

Herbata była zaledwie letnia, ale nawet gdyby była wrząca, nie mogłaby skuteczniej i gwałtowniej zamknąć Carrie ust. Carrie siedziała jak sparaliżowana, bursztynowy płyn skapywał jej z policzków i brody na białą bluzkę, rozlewając się w wielką plamę. Był lepki i pachniał jak cynamon.

Pani White cała się trzęsła. Twarz jej zastygła w kamienną maskę, tylko nozdrza drgały coraz szybciej. Nagle odrzuciła głowę do tyłu i krzyknęła na całe gardło:

– Boże! Boże! Boże! – Jej szczęki zatrzaskiwały się silnie po każdym słowie.

Carrie siedziała bez ruchu.

Pani White wstała i obeszła stół dookoła. Trzęsące się dłonie zaciskała i rozwierała jak szpony. Jej twarz wyglądała jak twarz obłąkanej; malowało się na niej współczucie pomieszane z nienawiścią.

– Do komórki – powiedziała. – Idź do komórki i módl się.

– Nie, mamo.

– Chłopcy. Tak, potem zjawiają się chłopcy. Najpierw krew, potem chłopcy. Węszą jak psy, ślinią się i szczerzą zęby, szukają, skąd ten zapach. Ten... zapach!

Zamachnęła się szeroko i z całej siły uderzyła Carrie w twarz; suchy trzask uderzenia

(o boże tak się boję dopiero teraz się boję)

rozległ się donośnie jak strzał z bata. Carrie zachwiała się, ale jakoś utrzymała się na krześle. Na jej policzku pojawił się biały ślad po uderzeniu i po chwili zaczął nabiegać krwistą czerwienią.

– Znak – powiedziała pani Wbite. Jej wytrzeszczone oczy pozbawione były wyrazu; oddychała szybko, urywanie, gwałtownie chwytając powietrze. Wydawało się, że mówi sama do siebie, kiedy jej szponiasta ręka opadła na ramię Carrie i zwlokła ją przemocą z krzesła.

– Widziałam to wszystko. To prawda. O tak. Ale. Ja. Nigdy. Tylko z nim. On. Wziął. Mnie... – Urwała, jej błędne spojrzenie powędrowało w górę. Carrie nie poruszyła się, sterroryzowana. Czuła, że mama z bólem wydziera z siebie jakieś wyznanie, które mogło ją zniszczyć.

– Mamo...

– W samochodach. Och, wiem, gdzie to się odbywa. Obejmują cię. Za miastem. Motele. Whisky. Zapach... oni, czują od ciebie ten zapach! – Jej głos wzniósł się do krzyku, na szyi ostro wystąpiły ścięgna, głowa obracała się na wszystkie strony monotonnym, kołyszącym ruchem.

– Mamo, lepiej przestań.

Te słowa jakby ją nieco otrzeźwiły. Głowa znieruchomiała, wargi zadrgały jakby ze zdziwieniem, kiedy usiłowała otrząsnąć się ze wspomnień i powrócić do rzeczywistości.

– Do komórki – wymamrotała. – Idź do komórki i módl się.

– Nie.

Mama podniosła rękę do uderzenia.

– Nie!

Ręka zawisła nieruchomo w powietrzu. Mama wybałuszyła na nią oczy, jakby nie była pewna, czy ta ręka nadal do niej należy. Blacha z ciastem uniosła się naraz z podstawki, przeleciała przez pokój i z rozpędem uderzyła w ścianę obok drzwi, rozpryskując wokół sok jagodowy.

– Ja pójdę, mamo!

Przewrócona filiżanka mamy wzbiła się w górę, przeleciała nad ich głowami i roztrzaskała się o piec. Mama zapiszczała i upadła na kolana, wznosząc ręce nad głowę.

– Diablica – jęknęła. – Diablica. Diabelskie nasienie.

– Mamo, wstań.

– Chuć i rozpasanie, cielesne żądze...

– Wstań!

Głos mamy nagle ucichł, kiedy wstała, nadal z rękami nad głową, jak jeniec na polu bitwy. Jej usta poruszały się. Carrie wydawało się, że mama odmawia Modlitwę Pańską.

– Nie chcę z tobą walczyć, mamo – powiedziała załamującym się, ledwie słyszalnym głosem. Z wysiłkiem spróbowała się opanować. – Chcę tylko, żebyś mi pozwoliła mieć własne życie. Ja... ja nie chcę żyć tak jak ty. – Przerwała, przerażona własnymi słowami. Oto zostało wypowiedziane najstraszliwsze bluźnierstwo, tysiąc razy gorsze niż brzydkie słowa.

– Czarownica – wyszeptała mama. – Powiedziane jest w Księdze Pańskiej: „Czarownicy żyć nie dozwolisz". Twój ojciec wypełniał boskie przykazania...

– Nie chcę o tym rozmawiać – przerwała Carrie. Zawsze czuła się zmieszana, kiedy mama zaczynała mówić o jej ojcu. – Po prostu chcę, żebyś zrozumiała, że wszystko się teraz zmieni. – Jej oczy lśniły. – Oni też to muszą zrozumieć.

Ale mama dalej szeptała do siebie.

Przygnębiona, czując ściskanie w gardle i ciężar w żołądku, Carrie zeszła do piwnicy po swój materiał na suknię. W każdym razie to było lepsze od komórki. Właśnie. Wszystko było lepsze od komórki z niebieską żarówką, przytłaczającym odorem potu i smrodem jej własnego grzechu. Wszystko. Cokolwiek to było. Przystanęła, przyciskając do piersi zawinięty w papier pakunek, i przymknęła oczy. Znikło światło słabej, obwieszonej festonami pajęczyn piwnicznej żarówki. Tommy Ross jej nie kochał; wiedziała o tym. Zaproszenie było jedynie jakąś dziwaczną pokutą; rozumiała to i godziła się z tym. Od najmłodszych lat, odkąd tylko zaczęła cokolwiek rozumieć, oswojona była z pojęciem pokuty za grzechy.

Powiedział, że będą się dobrze bawić – że sami się o to postarają. No, ona w każdym razie o to się postara. Niech nie próbują z nią zaczynać. Niech lepiej nie próbują. Nie wiedziała, czy jej dar pochodzi od władcy światła, czy ciemności, ale nagle zrozumiała, że nic jej to nie obchodzi, a wraz ze zrozumieniem przyszła obezwładniająca ulga, niemal nie do opisania, jakby jakiś ogromny, od dawna gniotący ją ciężar zsunął jej się z ramion.

Na górze mama nadal szeptała do siebie. To nie była Modlitwa Pańska. To były egzorcyzmy z Piątej Księgi Mojżeszowej.

Nazywam się Susan Snell (s. 23):
W końcu nawet zrobili z tego film. Widziałam go w kwietniu. Kiedy wyszłam z kina, byłam chora. Za każdym razem, kiedy coś ważnego się wydarzy w Ameryce, muszą to polukrować pod gust publiczności. W ten sposób można o tym zapomnieć. A zapomnieć o sprawie Carrie White to większy błąd, niż się ludziom zdaje...

W poniedziałek rano dyrektor Henry Grayle i jego zastępca Pete Morton pili kawę w biurze Grayle'a.
– Nie było jeszcze wiadomości od Hargensena? – zapytał Morty. Rozciągnął wargi w uśmieszku charakterystycznym dla Johna Wayne'a, ale w kącikach jego ust czaił się strach.
– Ani słówka. A Christine nagle przestała paplać naokoło, jak to jej ojciec puści nas z torbami. – Grayle z poważną miną podmuchał na swoją kawę.
– Wydaje mi się, że niezbyt się tym przejmujesz.

– Masz rację. Wiedziałeś, że Carrie White wybiera się na bal? Morton zamrugał.

– Z kim? Z Nosaczem? – Freddy Holt, zwany Nosaczem, był kolejną groteskową postacią w szkole im. Ewena. Ważył najwyżej sto funtów, i to po namoczeniu, a przypadkowy obserwator skłonny był podejrzewać, że sześćdziesiąt procent z tego stanowił nos.

– Nie – odparł Grayle. – Z Tommym Rossem.

Morton zakrztusił się kawą i zaczął kaszleć.

– Ja też tak zareagowałem – pocieszył go Grayle.

– A co z jego dziewczyną? Tą małą Snellów?

– Myślę, że to ona go w to wpakowała – oświadczył Grayle. – Z pewnością miała wystarczająco silne poczucie winy. Zauważyłem to, kiedy z nią rozmawiałem. Teraz jest w Komitecie Dekoracyjnym, cała w skowronkach, zupełnie jakby ten bal nic dla niej nie znaczył.

– Aha – odezwał się Morty inteligentnie.

– A Hargensen... pewnie musiał z kimś rozmawiać i dowiedział się, że rzeczywiście moglibyśmy go zaskarżyć w imieniu Carrie White, gdybyśmy chcieli. Sądzę, że woli się nie wychylać. To jego córka mnie niepokoi.

– Myślisz, że coś się stanie w piątek wieczorem?

– Nie mam pojęcia. Wiem, że Chris ma mnóstwo przyjaciół, którzy tam będą. Chodzi z tym brudasem Billym Nolanem; on też ma niezłą paczkę kumpli. Z tego gatunku, co to zabawiają się terroryzowaniem kobiet w ciąży. Słyszałem, że Chris owinęła go sobie dookoła palca.

– Obawiasz się czegoś konkretnego?

Grayle zrobił gest zniecierpliwienia.

– Konkretnego? Nie. Ale siedzę w tym wszystkim dostatecznie długo, żeby wiedzieć, kiedy sytuacja jest niedobra. Pamiętasz mecz ze Stadler w siedemdziesiątym szóstym?

Morty przytaknął. Od tego czasu upłynęły już trzy lata, ale musiałoby ich upłynąć znacznie więcej, żeby zatarła się pamięć o meczu Ewen–Stadler. Bruce Trevor był słabym uczniem, ale fantastycznym koszykarzem. Trener Gaines nie przepadał za nim, ale dzięki Trevorowi szkoła im. Ewena mogłaby po raz pierwszy od dziesięciu lat wejść do rozgrywek finałowych. Trevor został usunięty z drużyny na tydzień przed decydującym meczem z Dzikimi Kotami ze Stadler. Rutynowa inspekcja ujawniła w jego szafce kilo marihuany ukrytej pod podręcznikami. Szkoła im. Ewena przegrała mecz w stosunku 104:48 i straciła miejsce w rozgrywkach – ale o tym nikt nie pamiętał. Wszyscy natomiast pamiętali bójkę, która zakłóciła przebieg gry pod koniec meczu. Bijatykę wywołał Bruce Trevor, wrzeszcząc w słusznym gniewie, że zrobili go w jajo. Cztery osoby wylądowały w szpitalu, wśród nich trener szkoły Stadler, który dostał po głowie apteczką pierwszej pomocy.

– Właśnie teraz mam takie przeczucie – kontynuował Grayle.
– Coś się szykuje. Może przyniosą zgniłe jabłka, może co innego.
– Pewnie jesteś jasnowidzem – rzekł Morty.

Nadejście cienia (s. 92–93):

Ostatnio przyjęto tezę, iż źródłem występowania zjawiska TK jest gen recesywny – działający odmiennie niż w przypadku choroby takiej jak hemofilia, która atakuje wyłącznie mężczyzn. W tej chorobie, niegdyś zwanej „przekleństwem królów", u osobników żeńskich gen pozostaje recesywny i nie wywołuje żadnych skutków, jednakże ich potomstwo płci męskiej jest „skażone". Choroba ta ujawnia się jedynie wtedy, kiedy dotknięty nią mężczyzna poślubi kobietę nosicielkę genu recesywnego. Jeśli z takiego związku narodzi się męski potomek, będzie chory na hemofilię. Jeśli potomek będzie płci żeńskiej, stanie się nosicielem. Należy podkreślić, że mężczyzna może być nieświadomym nosicielem genu recesywnego hemofilii, jeśli gen taki wchodzi w skład jego genotypu. Jeżeli jednak ów mężczyzna poślubi kobietę nosicielkę i ich potomstwo będzie płci męskiej, hemofilia jest nieunikniona.

Wśród rodzin królewskich, gdzie powszechne były małżeństwa między kuzynami, mogło się zdarzyć, że któryś z przodków był nosicielem, i wówczas gen hemofilii mógł się z łatwością reprodukować przez całe pokolenia – stąd nazwa „przekleństwo królów". Na początku naszego stulecia znaczną liczbę przypadków hemofilii odkryto w Appalachach; zwykle notowane są one wszędzie tam, gdzie dana kultura dopuszcza powszechnie kazirodztwo i małżeństwa między kuzynami pierwszego stopnia.

W przypadku zjawiska TK nosicielem wydaje się mężczyzna; u kobiet gen TK może być recesywny, ale wyłącznie u kobiet staje się dominujący. Ralph White najwidoczniej był nosicielem. Margaret White, przez czysty przypadek, również miała ów gen w swoim genotypie, ale z pełnym przekonaniem możemy twierdzić, że był on recesywny, ponieważ nie natrafiono nigdy na żadną informację pozwalającą przypuszczać, że Margaret dysponowała takimi samymi zdolnościami jak jej córka. Obecnie prowadzi się dochodzenie w sprawie babki Margaret Brigham, Sadie Cochran – gdyż jeśli w przypadku TK obowiązuje ten sam dominująco-recesywny schemat co w przypadku hemofilii, u pani Cochran gen ten musiał być dominujący.

Gdyby dziecko państwa White było płci męskiej, otrzymalibyśmy w rezultacie kolejnego nosiciela. W takim wypadku istniałyby ogromne szanse, że mutacja zniknie wraz z jego śmiercią, jako że ani Margaret Brigham, ani Ralph White nie mieli w rodzinie kuzynek w odpowiednim wieku, z którymi mógłby się ożenić ich hipotetyczny potomek. A szanse na to, że ów potomek spotka i poślubi inną kobietę nosicielkę, byłyby nadzwyczaj nikłe. Jak dotąd żadnemu z zespołów badających ten problem nie udało się wyodrębnić genu TK.

W obliczu wypadków, które wydarzyły się w Chamberlain, z pewnością nikt nie wątpi, że wyodrębnienie tego genu musi się stać jednym z priorytetowych zadań medycyny. Podczas gdy hemofilitycy, czyli posiadacze genu H, płodzą męskie potomstwo cierpiące na niedostatek płytek w osoczu krwi, to telekinetycy, czyli posiadacze genu TK, płodzą dwudziestowieczne Zapowietrzone Mańki, siejące wokół zniszczenie...

Środa po południu.

Susan i czternaścioro innych uczniów – cały Komitet Dekoracyjny – pracowali nad ogromnym malowidłem, które w piątkowy wieczór miało wisieć z tyłu nad dwiema bliźniaczymi estradami. Tematem obrazu była „Wiosna w Wenecji" (kto wybierał te idiotyczne tematy, zastanawiała się Sue. Już cztery lata chodziła do szkoły im. Ewena, była na dwóch balach szkolnych i nadal tego nie wiedziała. I właściwie dlaczego ta cholerna impreza w ogóle musiała mieć jakiś temat? Czemu nie przygotować po prostu trochę słodyczy i napojów i na tym zakończyć?). George Chizmar, najbardziej artystycznie utalentowany uczeń w szkole, przygotował niewielki szkic kredą przedstawiający gondolę na kanale o zachodzie słońca oraz pochylonego nad sterem gondoliera w wielkim słomkowym kapeluszu. Zachodzące słońce odbijało się w wodach kanału; całość stanowiła przepyszną harmonię różowości, czerwieni i oranżu. Niewątpliwie to było piękne. George przerysował kontury obrazka na wielkie płótno o wymiarach czterdzieści na dwadzieścia stóp i ponumerował poszczególne pola, zaznaczając, jakim kolorem kredy mają być wypełnione. Teraz komitet cierpliwie je kolorował, pełzając po płótnie niczym dzieci malujące stronę w jakiejś gigantycznej książce z obrazkami. A jednak, pomyślała Sue, spoglądając na swoje ręce wysmarowane różową kredą, to będzie najładniejszy bal wiosenny ze wszystkich.

Obok niej Helen Shyres przysiadła na piętach, wyprostowała się i jęknęła, kiedy przy tym ruchu coś jej strzeliło w krzyżu. Wierzchem dłoni odsunęła z czoła kosmyk włosów, zostawiając różową smugę.

– Cholera, dlaczego pozwoliłam ci się w to wrobić?

– Chcesz przecież, żeby było przyjemnie, prawda?

Sue naśladowała minę starej panny Geer, prezesa (odpowiedni tytuł dla panny z wąsami) Komitetu Dekoracyjnego.

– Jasne, ale dlaczego nie jesteśmy w Komitecie Rozrywki albo w Komitecie Zaopatrzenia? Mniej pracy, więcej myślenia. Myślenie to moja specjalność. Poza tym ty nawet... – Ugryzła się w język.

– Nie idę? – Sue wzruszyła ramionami i sięgnęła po swój kawałek kredy. Dostała okropnego skurczu w ręce od tego malowania. – To prawda, ale mimo wszystko chcę, żeby było przyjemnie. – Wstydliwie dodała: – Tommy idzie.

Przez chwilę pracowały w milczeniu. Potem Helen znowu się wyprostowała. Nikogo nie było w pobliżu, tylko po drugiej stronie malowidła Holly Marshall kolorowała burtę gondoli.

– Powiesz mi, o co tu chodzi, Sue? – zapytała w końcu Helen.

– Boże, przecież wszyscy o tym gadają.

– Jasne. – Sue przestała malować i zaczęła gimnastykować zdrętwiałą dłoń. – Myślę, że powinnam komuś o tym powiedzieć, przynajmniej po to, żeby wszyscy znali prawdę. Poprosiłam Tommy'ego, żeby poszedł z Carrie. Mam nadzieję, że dzięki temu Carrie trochę się rozluźni... że to jej pomoże przełamać bariery. Uważam, że przynajmniej tyle jestem jej winna.

– A pomyślałaś, w jakim świetle to stawia nas wszystkie? – zapytała Helen bez urazy.

Sue ponownie wzruszyła ramionami.

– Musisz sama się zdecydować, co z tym fantem robić, Helen. Nie mam prawa w nikogo rzucać kamieniem. Ale nie chcę, żeby ludzie myśleli, że... ech...

– Zgrywasz się na męczennicę?

– Coś w tym rodzaju.

– I Tommy się zgodził? – Ta część historii najbardziej ją intrygowała.

– Tak – odparła Sue, nie rozwijając dalej tematu. Po chwili dodała: – Pewnie wszyscy uważają, że jestem stuknięta.

Helen przemyślała to.

– No... wszyscy o tym gadają. Ale większość uważa, że jesteś w porządku. Jak sama powiedziałaś, każdy decyduje o swoim postępowaniu. Jest jednak niewielka opozycja. – Uśmiechnęła się smutno.

– Paczka Chris Hargensen?

– I paczka Billy'ego Nolana. Jezu, ale to fajansiarz.

– Ona chyba nie bardzo mnie lubi? – powiedziała Sue na wpół pytającym tonem.

– Susie, ona cię nienawidzi jak zarazy.

Sue kiwnęła głową, z zaskoczeniem odkrywając, że ta wiadomość jednocześnie ją zmartwiła i zainteresowała.

– Słyszałam, że jej ojciec chciał zaskarżyć Wydział Oświaty, ale potem zmienił zdanie.

Helen wzruszyła ramionami.

– To jej nie przysporzyło popularności – mruknęła. – Dotąd nie rozumiem, co w nas wtedy wstąpiło. Jak teraz o tym myślę, to wydaje mi się, jakbym to nie była ja, tylko jakaś obca osoba. Pracowały dalej w milczeniu. Po drugiej stronie sali Don Barrett ustawiał wielką drabinę, sięgającą do stalowych belek pod sufitem, które miały być udekorowane kolorową bibułą.

– Popatrz – powiedziała nagle Helen – idzie Chris.

Sue podniosła wzrok akurat na czas, żeby zobaczyć, jak Chris wchodzi do małego biura na lewo od wejścia do sali gimnastycznej. Chris miała na sobie obcisłe aksamitne szorty w kolorze wina i białą jedwabną bluzkę. Pod bluzką kołysały się piersi. Widać było, że nie włożyła stanika – chodzące ucieleśnienie marzeń wszystkich starych lubieżników, pomyślała Sue kwaśno, a potem coś ją zastanowiło. Czego Chris szukała w pokoju zajętym tymczasowo na sekretariat Komitetu Organizacyjnego? Oczywiście w skład komitetu wchodziła Tina Blake, a Chris i Tina były jak dwie papużki nierozłączki.

Przestań, zbeształa się w myślach. Chcesz, żeby włożyła na siebie worek pokutny i posypała głowę popiołem?

Tak, przyznała. W gruncie rzeczy właśnie tego chciała.

– Helen?

– Hmmmm?

– Czy ona coś knuje?

Twarz Helen przybrała obojętny, nieodgadniony wyraz.

– Nie mam pojęcia – odparła tonem niewiniątka.

– Och – powiedziała Sue dyplomatycznie.

(przecież widzę że coś wiesz wiesz coś jeśli to tylko od ciebie zależy powiedz mi do cholery)

Pracowały dalej, nie odzywając się do siebie. Sue wiedziała, że wcześniej Helen nie powiedziała jej prawdy: to, co zrobiła, nie było w porządku. Nie mogło być. Nigdy już w oczach swoich koleżanek nie będzie tą samą godną zazdrości dziewczyną. Zrobiła trudną, niebezpieczną rzecz: zerwała maskę i pokazała światu swoją prawdziwą twarz.

Popołudniowe słońce, złociste jak oliwa i słodkie jak dzieciństwo, przesączało się przez wysokie, jasne okna sali gimnastycznej.

Nazywam się Susan Snell (s. 40):
Potrafię częściowo zrozumieć, w jaki sposób do tego doszło. Potrafię na przykład zrozumieć – chociaż uważam, że to okropne – dlaczego ktoś taki jak Billy Nolan na to poszedł. Chris Hargensen wodziła go za nos przynajmniej w większości spraw. A Billy z kolci wodził za nos swoich przyjaciół. Była to dobrana paczka. Kenny Garson, który rzucił szkołę średnią w wieku osiemnastu lat, miał trójkę z czytania. W sensie klinicznym Stevie Deighan był niemal idiotą. Niektórzy z nich byli notowani na policji; na przykład Jackie Talbot po raz pierwszy został przyłapany na kradzieży dekli od kół w wieku dziewięciu lat. Ktoś o mentalności pracownika opieki społecznej mógłby nawet uznać tych chłopców za nieszczęsne ofiary losu.

Ale co można powiedzieć o samej Chris Hargensen? Wydaje się, że od początku do końca jej głównym i jedynym celem było całkowite, totalne pognębienie Carrie White...

– Nie mogę tego zrobić – powiedziała niechętnie Tina Blake. Była zgrabną, niewysoką dziewczyną z szopą rudych włosów. We włosach tkwił ołówek, który dodawał jej ważności. – Poza tym, jeśli Norma wróci, to zaraz na mnie doniesie.

– Norma siedzi w sraczu – uspokoiła ją Chris. – Nie martw się.

Tina, lekko zgorszona, zachichotała mimo woli, ale nadal udawała, że się nie zgadza.

– Właściwie dlaczego chcesz to zobaczyć? Przecież i tak nie możesz iść.

– Nie szkodzi – odparła Chris. Jak zawsze, wydawała się tryskać czarnym humorem.

– Masz – powiedziała Tina i pchnęła przez biurko arkusz papieru w miękkich plastikowych okładkach. – Idę się napić coli. Jeśli ta dziwka Norma wróci i cię przyłapie, pamiętaj, że w ogóle cię nie widziałam.

– Okay – mruknęła Chris, pochłonięta już oglądaniem planu sali. Nie usłyszała nawet, jak drzwi się zamknęły. Plan stanowił dzieło George'a Chizmara, wobec czego był znakomity. Wyraźnie zaznaczony parkiet do tańca. Dwie estrady. Podium, na którym król i królowa zostaną ukoronowani

(już ja bym ukoronowała tę pieprzoną sue i tę dziwkę carrie także)

na zakończenie wieczoru. Z trzech stron parkietu stały rzędy stolików dla uczestników balu – zwykłych stolików karcianych, ale udekorowanych kolorową bibułą i wstążkami; na każdym znajdowały się kotyliony, program balu i lista kandydatów na króla i królową.

Chris przesunęła spiczastym, polakierowanym paznokciem po rzędzie stolików na prawo od parkietu, potem na lewo. Jest: Tommy R. i Carrie W. Rzeczywiście zamierzają przebrnąć przez ten cały bal. Ledwie mogła w to uwierzyć. Czy oni naprawdę myślą, że to im ujdzie na sucho? Jej wargi rozciągnęły się w ponurym uśmiechu. Obejrzała się przez ramię. Normy Watson nadal nigdzie nie było widać.

Odłożyła plan sali na miejsce i szybko przerzuciła inne papiery piętrzące się na poplamionym, upstrzonym inicjałami biurku. Faktury (głównie za bibułę i półpensowe gwoździe), lista rodziców, którzy pożyczyli stoliki karciane, kwity z podręcznej kasy, rachunek od Star Printers za wydrukowanie biletów na bal, wstępna lista kandydatów na króla i królową...

Lista kandydatów! Chwyciła ją pospiesznie.

Nikomu nie wolno było zobaczyć listy kandydatów aż do piątku, kiedy to wszyscy uczniowie usłyszą nazwiska ubiegających się o królewskie tytuły ogłoszone przez szkolny radiowęzeł. Król i królowa zostaną wybrani przez uczestników balu, ale puste listy kandydatów krążyły wśród uczniów już od miesiąca. Wyniki głosowania były ściśle strzeżonym sekretem.

Ostatnio coraz większą popularność zdobywał sobie wśród uczniów ruch dążący do całkowitego zlikwidowania zwyczaju wybierania króla i królowej – część dziewcząt twierdziła, że to seksistowski przeżytek, chłopcy uważali to za idiotyczne i krępujące. Istniały spore szanse, że w tym roku po raz ostatni bal będzie miał tak formalny, tradycyjny charakter.

Ale dla Chris liczył się właśnie ten rok. Zachłannie wpiła się wzrokiem w listę.

George i Frieda. Nie mają szans. Frieda była Żydówką. Peter i Myra. Również niemożliwe. Myra należała do stronnictwa dziewcząt zaciekle zwalczających ten, jak to nazywały, bieg z przeszkodami. Nawet gdyby ją wybrano, nie zgodziłaby się przyjąć tytułu. Poza tym z wyglądu była równie atrakcyjna jak tylna część starej dorożkarskicj szkapy. Frank i Jessica. Całkiem prawdopodobne. Frank Grier wszedł w tym roku do reprezentacyjnej drużyny futbolowej Nowej Anglii, ale Jessica była tylko małym, brzydkim, krostowatym stworzeniem. Miała więcej pryszczy niż rozumu. Don i Helen. Zapomnijmy o tym. Helen Shyres nie może zostać wybrana.

I ostatnia para: Tommy i Sue. Tylko że Sue została oczywiście wykreślona, a na jej miejsce wpisano Carrie. Oto para nie do pobicia! Naszedł ją atak jakiegoś dziwacznego, skrzeczącego śmiechu, aż musiała zatkać usta dłonią. Wpadła Tina.

– Jezu, Chris, jeszcze tu jesteś? Norma idzie!

– Uspokój się, laluniu. – Chris zachichotała i odłożyła papiery na biurko. Wciąż jeszcze się uśmiechała, wychodząc. Zatrzymała się na chwilę, żeby kpiąco pomachać ręką Sue, która wypruwała z siebie flaki nad tym głupim malowidłem. W holu na zewnątrz wygrzebała z torebki dziesiątkę, wrzuciła ją do automatu i wykręciła numer Billy'ego Nolana.

Nadejście cienia (s. 100–101):
Można się zastanawiać, w jakim stopniu wykończenie Carrie White było dziełem przypadku – czy było to przedsięwzięcie starannie zaplanowane i dopracowane w najdrobniejszym szczególe, czy też coś, co wydarzyło się spontanicznie i bez przygotowania. (...) osobiście skłaniam się do tej drugiej koncepcji. Podejrzewam, że mózgiem całej operacji była Christine Hargensen, ale sama Christine miała zaledwie mgliste pojęcie o tym, co należy zrobić, żeby „załatwić" taką dziewczynę jak Carrie. Przypuszczam, że to ona zaproponowała, żeby William Nolan i jego przyjaciele wybrali się na farmę Irvina Henty'ego w North Chamberlain. Z pewnością oczekiwany rezultat tej przejażdżki mógł przemawiać do jakiegoś wypaczonego poczucia sprawiedliwości...

Samochód, piszcząc oponami, przemknął wyboistą Stack End Road w North Chamberlain z zagrażającą życiu prędkością sześćdziesięciu pięciu mil na godzinę i skręcił w boczną niebrukowaną drogę, której nawierzchnia przypominała tarę do prania. Zwieszające się nisko gałęzie drzew, okryte soczystą majową zielenią, drapały dach wozu. Był to biscayne z 61 roku, przerdzewiały, z powyginanymi błotnikami i zadartym tyłem, wyposażony w podwójny tłumik z włókna szklanego. Jeden reflektor był stłuczony, drugi zaczynał mrugać w nocnych ciemnościach, ilekroć samochód szczególnie ostro podskakiwał na wybojach.

Billy Nolan siedział za kierownicą obciągniętą różowym sztucznym futerkiem. Jackie Talbot, Henry Blake, Steve Deighan oraz dwaj bracia Garson, Kenny i Lou, tłoczyli się obok niego i na tylnym siedzeniu. Trzy skręty krążyły z ręki do ręki, świecąc w ciemnościach zalegających wnętrze samochodu niczym migotliwe oczy jakiegoś kręcącego się w kółko Cerbera.

– Jesteś pewny, że Henty'ego nie ma? – zapytał Henry. – Słuchaj no, kochany Williamie, nie mam ochoty pchać się z powrotem pod górę. Wcisnęli ci jakiś kit.

Kenny Garson, któremu brakowało piątej klepki, uznał to za niesamowicie śmieszne i wydał z siebie serię piskliwych chichotów.

– Nie ma go – odparł Billy. Sprawiał wrażenie, że nawet tych kilka słów wymknęło mu się opornie i wbrew woli. – Pogrzeb.

Chris dowiedziała się o tym przypadkowo. Stary Henty prowadził jedną z niewielu prosperujących niezależnych farm w okręgu Chamberlain. Nie miał nic wspólnego z tak często opisywanym w literaturze typem szorstkiego farmera o złotym sercu; nie, stary Henty był dokładnie tak samo nikczemny, jak na to wyglądał. W sezonie, kiedy dojrzewały jabłka, Henty nie nabijał swojej dubeltówki gruboziarnistą solą jak inni farmerzy, tylko śrutem. Podał również do sądu kilku ludzi za drobne kradzieże. Jednym z nich był dobry znajomy chłopców, żałosny pechowiec Freddy Overlock. Freddy został przyłapany na gorącym uczynku w kurniku starego Henty'ego i dostał podwójną porcję śrutu numer sześć w miejsce, gdzie dobry Bóg dał mu najwięcej ciała. Nieszczęsny Freddy spędził cztery długie godziny na ostrym dyżurze w pokoju zabiegowym w szpitalu, leżąc na brzuchu, wrzeszcząc i przeklinając na czym świat stoi, podczas gdy jowialny pielęgniarz wyciągał kulki śrutu z jego pośladków i wrzucał je do metalowej nerki. Do zranienia doszła zniewaga: musiał zapłacić grzywnę w wysokości dwustu dolarów za kradzież z włamaniem. Od tego czasu chłopaki z Chamberlain nie darzyli Irvina Henty'ego specjalną sympatią.

– A co z Redem?– zapytał Steve.

– Próbuje poderwać nową kelnerkę w „The Cavalier" – wyjaśnił Billy, obracając gwałtownie kierownicę i z pełną szybkością wprowadzając rozdygotany samochód w ostry zakręt na Henty Road. Red Trelawney pracował u Henty'ego. Ostro popijał i równie zręcznie posługiwał się dubeltówką jak jego pracodawca. – Nie wróci przed zamknięciem baru.

– Cholerne ryzyko tylko po to, żeby komuś zrobić kawał – mruknął z niezadowoleniem Jackie Talbot.

Billy zesztywniał.

– Chcesz się wycofać?

– Nie, skąd – zapewnił pospiesznie Jackie. W końcu Billy rozdzielił między nich całą uncję dobrej trawki, a poza tym do miasta było stąd dziewięć mil. – To naprawdę świetny kawał, Billy.

Kenny otworzył schowek na rękawiczki, wyjął ozdobną, wydrążoną jak muszla klamerkę do włosów (należącą do Chris) i umieścił w niej tlący się niedopałek. Ta operacja wydała mu się najwidoczniej szalenie zabawna, gdyż ponownie wybuchnął piskliwym chichotem.

Po obu stronach drogi migały teraz napisy „Wstęp wzbroniony", ogrodzenia z drutu kolczastego, świeżo zaorane pola. W ciepłym majowym powietrzu unosił się ciężki, mocny, słodki zapach rozkopanej ziemi.

Kiedy znaleźli się na szczycie następnego wzgórza, Billy wyłączył światła, wrzucił luz i przekręcił kluczyk w stacyjce. Ciężki, niezgrabny samochód cicho potoczył się w stronę wjazdu do posiadłości Henty'ego.

Billy z łatwością wziął zakręt. Większość szybkości wytracili na następnym małym wzniesieniu, mijając ciemny, pusty dom. Teraz zobaczyli przed sobą masywny, czarny kształt stodoły, a za nią sad jabłkowy i staw dla krów połyskujący sennie w księżycowej poświacie. W zagrodzie dla świń dwie maciory wpychały spłaszczone ryje między pręty ogrodzenia. Jakaś krowa zamuczała cicho w oborze, pewnie przez sen.

Billy zatrzymał wóz, zaciągając ręczny hamulec – nie było to potrzebne przy wyłączonym silniku, ale ta czynność dawała mu przyjemne uczucie panowania nad samochodem.

Wysiedli.

Lou Garson sięgnął przez ramię Kenny'ego i wyjął coś ze schowka na rękawiczki. Billy i Henry otworzyli bagażnik.

– Drań zesra się w portki, jak wróci i zobaczy, co się stało – zauważył Steve, śmiejąc się cicho.

– Za Freddy'ego – rzekł Henry, wyciągając z bagażnika ciężki młot.

Billy nic nie powiedział, ale oczywiście nie robił tego dla Freddy'ego Overlocka, który był zwykłym gnojkiem. Robił to dla Chris Hargensen, tak jak wszystko, co dla niej robił od dnia, w którym zeszła ze swojego wyniosłego szkolnego Olimpu i wyciągnęła do niego rękę. Popełniłby dla niej morderstwo, a nawet dużo więcej.

Henry wymachiwał na próbę dziewięciofuntowym młotem. Ciężki, masywny blok żelaza przecinał nocne powietrze ze złowrogim świstem. Pozostali chłopcy skupili się wokół Billy'ego, który podniósł wieko skrzyni z lodem i wyjął dwa wiadra z blachy cynkowej. Były lekko oszronione i tak zimne, że od ich dotyku drętwiały palce.

– Okay – powiedział Billy.

Sześciu chłopców ruszyło pospiesznie do zagrody dla świń, oddychając szybciej z podniecenia. Obie maciory były oswojone z ludźmi i nie okazywały strachu, a stary knur spał spokojnie, leżąc na boku w odległym kącie zagrody. Henry ponownie zamachnął się młotem, ale tym razem bez przekonania. Potem podał młot Billy'emu.

– Nie mogę – odezwał się słabym głosem. – Ty to zrób.

Billy wziął młot i spojrzał pytająco na Lou, który trzymał ostry rzeźnicki nóż wyjęty ze schowka na rękawiczki.

– Nie martw się – uspokoił go Lou. Dotknął ostrza opuszkiem kciuka.

– Po gardle – przypomniał mu Billy.

– Wiem.

Kenny, podśpiewując i szczerząc zęby, karmił świnie resztkami chrupek ziemniaczanych ze zmiętej papierowej torby.

– Nie bójcie się, świnki, nie bójcie się, wujek Billy rozwali wam łebki i już nie będziecie się bać bomby. – Drapał je po szczeciniastych podbródkach, a świnie pochrząkiwały i sapały z zadowoleniem.

– Uważaj, jak leci – powiedział Billy i młot opadł. Rozległ się dźwięk, który przypomniał mu, jak kiedyś on i Henry zrzucili dynię z wiaduktu na Claridge Road, znajdującego się po zachodniej stronie miasta w miejscu skrzyżowania z szosą 495. Jedna ze świń padła martwa z wywalonym językiem i wytrzeszczonymi oczami. Do ryja przylepiły jej się okruchy chrupek ziemniaczanych.

Kenny zachichotał.

– Nawet nie mrugnęła.

– Pospiesz się, Lou – ponaglił Billy.

Brat Kenny'ego prześliznął się między sztachetami, podniósł łeb maciory ku niebu – w szklistych oczach odbijał się teraz księżyc na tle głębokiej czerni – i ciął.

Krew natychmiast trysnęła z nieoczekiwaną siłą, opryskując chłopców, którzy odskoczyli z cichymi okrzykami obrzydzenia.

Billy przechylił się przez ogrodzenie i podstawił jedno z wiader pod główny strumień. Wiadro napełniło się szybko. Odstawił je na bok. Drugie wiadro było w połowie napełnione, kiedy strumień krwi przestał płynąć.

– Następna – powiedział Billy.

– Jezu, Billy – zaskomlał Jackie – czy to nie wys...

– Następna – powtórzył Billy.

– Tutaj, świnko, cip, cip, cip – zawołał Kenny ze śmiechem, potrząsając pustą torbą po chrupkach. Po chwili maciora wróciła pod ogrodzenie, młot opadł, drugie wiadro zostało napełnione, a reszta krwi wsiąkła w ziemię. W powietrzu zawisł ciężki, metaliczny zapach. Billy zobaczył naraz, że ręce ma ubabrane w świńskiej krwi aż po nadgarstki.

Kiedy niósł wiadra do bagażnika, w jego umyśle powstało nagle niejasne, symboliczne skojarzenie. Świńska krew. To było dobre. Chris miała rację. To naprawdę było dobre. Nagle wszystkie rzeczy wskoczyły na właściwe miejsce.

Świńska krew dla świni.

Umieścił cynkowane wiadra wśród pokruszonych kawałków lodu i zatrzasnął wieko skrzyni.

– Jedziemy – oznajmił.

Usiadł za kierownicą i zwolnił hamulec ręczny. Pięciu chłopców ustawiło się za samochodem i zaczęło pchać. Samochód bezgłośnie zakręcił w miejscu i mijając stodołę, dojechał do wzniesienia naprzeciwko domu Henty'ego.

Kiedy wóz zaczął toczyć się własnym rozpędem, chłopcy podbiegli i wskoczyli do środka, sapiąc i dysząc ciężko. Samochód nabrał wystarczającej szybkości, żeby zatoczyć lekki łuk, kiedy Billy błyskawicznym ruchem kierownicy skierował go z długiego podjazdu na Henty Road. U stóp wzgórza wrzucił trzeci bieg i puścił sprzęgło. Silnik zakaszlał i ożył z pomrukiem.

Świńska krew dla świni. Tak, to było dobre, nie ma co. To naprawdę było dobre. Uśmiechnął się, a Lou Garson poczuł nagłe ukłucie zdziwienia i strachu. Nie pamiętał, żeby kiedykolwiek przedtem widział uśmiech na ustach Billy'ego Nolana. Również nikt z jego znajomych nie mógł się tym pochwalić.

– Na czyj pogrzeb poszedł stary Henty? – zapytał Steve.

– Swojej matki – odparł Billy.

– Swojej matki? – powtórzył osłupiały Jackie Talbot. – Jezu Chryste, ona musiała być starsza od Pana Boga.

Piskliwy śmiech Kenny'ego rozpłynął się w ciemnościach pachnących nadchodzącym latem.

CZĘŚĆ DRUGA

Noc zagłady

Po raz pierwszy przymierzyła suknię w swoim pokoju, rano 27 maja. Kupiła do niej specjalny biustonosz, który należycie podtrzymywał jej piersi (co nie znaczy, że tego potrzebowały), ale zakrywał je tylko do połowy. Wkładając go, miała niejasne, dziwnie podniecające uczucie, że rzuca wszystkim wyzwanie. A jednocześnie czuła wstyd.

Sama suknia była długa prawie do ziemi, z szeroką spódnicą, ale obcisła w talii; dotyk kosztownego materiału na jej skórze, przywykłej tylko do wełny i bawełny, wywoływał wrażenie obcości.

Długość chyba była właściwa – ale żeby się o tym przekonać, musiała przymierzyć nowe pantofelki. Wsunęła w nie stopy, poprawiła dekolt i podeszła do okna. Zobaczyła jedynie ciemne, irytująco niewyraźne odbicie, ale wszystko wydawało się w porządku. Może później będzie mogła...

Drzwi za jej plecami uchyliły się z cichym szczęknięciem klamki. Carrie odwróciła się i spojrzała na matkę.

Matka była ubrana do pracy. Miała na sobie biały sweter, w jednej ręce trzymała czarny portfel, a w drugiej ściskała Biblię taty Ralpha.

Patrzyły na siebie.

Nieświadomie Carrie wyprostowała się i stanęła w smudze wiosennego słońca, które wpadało do pokoju przez okno.

– Czerwona – wymamrotała mama. – Mogłam się tego spodziewać.

Carrie nic nie powiedziała.

– Widzę twoje złe ciało. Wszyscy je zobaczą. Będą patrzeć na twoje ciało. Księga powiada...

– To moje piersi, mamo. Wszystkie kobiety mają piersi.

– Zdejmij tę sukienkę – nakazała mama.

– Nie.

– Zdejmij ją, Carrie. Zejdziemy na dół i razem spalimy ją w piecu, a potem będziemy się modlić o przebaczenie. Będziemy odprawiać pokutę. – Jej oczy błyszczały dziwnym, niezrozumiałym zapałem, który pojawiał się w nich zawsze, kiedy – jak sądziła – wystawiano na próbę jej wiarę. – Zostaniemy w domu. Nie pójdę do pracy, a ty nie pójdziesz do szkoły. Będziemy się modlić. Będziemy prosić o znak. Będziemy na kolanach błagać o odpuszczenie grzechów.

– Nie, mamo.

Mama podniosła rękę i uszczypnęła się w twarz. Na policzku został czerwony ślad. Spojrzała na Carrie, oczekując jakiejś reakcji, nie dostrzegła żadnej, zgięła palce prawej ręki jak szpony i przejechała nimi po policzku, rozdrapując go do krwi. Gwałtownie wciągnęła powietrze i zatoczyła się do tyłu na swoich wysokich obcasach. W jej oczach świeciło uniesienie.

– Przestań się kaleczyć, mamo. I tak mnie nie powstrzymasz.

Mama krzyknęła. Zacisnęła prawą dłoń w pięść i uderzyła się w usta. Pociekła krew. Mama umoczyła w niej palce i powoli, z nieobecnym wyrazem twarzy, naznaczyła krwią okładkę Biblii.

– Obmyte we krwi Baranka – wyszeptała. – Wiele razy. Wiele razy On i ja...

– Wyjdź, mamo.

Mama popatrzyła na nią błyszczącymi oczami. Rysy jej twarzy ściągnęły się w przerażającą maskę sprawiedliwego gniewu.

– Nie kpij sobie z Boga – szepnęła. – Pamiętaj, że twój grzech cię dosięgnie. Spal to, Carrie! Zdejmij tę diabelską czerwień i spal ją! Spal ją! Spal ją!

Drzwi z rozmachem otwarły się same.

– Wyjdź, mamo.

Mama wykrzywiła zakrwawione usta w groteskowej parodii uśmiechu.

– Jako Jezabel upadła z wieży, niech tak się stanie z tobą – powiedziała. – A psy się zbiegły i chłeptały jej krew. To jest w Biblii! To jest...

Jej stopy zaczęły ślizgać się po podłodze. Popatrzyła na nie w oszołomieniu, jakby podejrzewając, że drewniana posadzka nagle zamieniła się w lodową taflę.

– Przestań! – wrzasnęła.

Była już w korytarzu. Uchwyciła się framugi drzwi i przytrzymywała się przez chwilę; potem jakaś niewidzialna siła oderwała jej palce od drewna.

– Przepraszam, mamo – powiedziała Carrie spokojnie. – Kocham cię.

Wyobraziła sobie, że drzwi się zamykają, i drzwi rzeczywiście się zatrzasnęły, jakby pchnięte lekkim powiewem wiatru. Ostrożnie, żeby nie zadać mamie bólu, rozluźniła niewidzialny uścisk, w którym ją zamknęła.

W chwilę później Margaret dobijała się do drzwi. Carrie przytrzymywała je trzęsącymi się rękami.

– Nadejdzie Dzień Sądu! – wyła Margaret. – Umywam ręce! Zrobiłam, co mogłam!

– To samo powiedział Piłat – wyszeptała Carrie.

Matka odeszła. Po chwili Carrie zobaczyła ją przez okno. Margaret przeszła na drugą stronę ulicy. Szła do pracy.

– Mamo – szepnęła Carrie cicho i przycisnęła czoło do szyby.

Nadejście cienia (s. 129):

Zanim przejdziemy do bardziej szczegółowej analizy tych wydarzeń, warto by podsumować, co wiemy o samej Carrie White.

Wiemy, że Carrie była ofiarą manii religijnej trapiącej jej matkę. Wiemy, że miała utajone zdolności telekinetyczne, potocznie określane jako zdolności TK. Wiemy, że ten tak zwany samorodny talent jest cechą dziedziczną, wywoływaną przez gen, który – o ile w ogóle jest obecny – najczęściej pozostaje recesywny. Podejrzewamy, że zdolności TK mogą być związane z działaniem gruczołów. Wiemy, że w dzieciństwie Carrie zademonstrowała swoje zdolności co najmniej raz, kiedy znalazła się w sytuacji wielkiego zagrożenia, do czego dołączyło się poczucie winy. Wiemy, że kolejna sytuacja zagrożenia powstała podczas incydentu w szatni, kiedy znęcały się nad nią koleżanki. Istnieje teoria (popierana zwłaszcza przez Williama G. Throneberry'ego i Julię Givens z Berkeley), że w tym wypadku ponowne rozbudzenie zdolności TK spowodowane zostało przez czynniki zarówno psychologiczne (tj. reakcję koleżanek Carrie i jej samej na pierwszą miesiączkę Carrie), jak i fizjologiczne (tj. osiągnięcie fizycznej dojrzałości).

Wiemy wreszcie, że podczas wiosennego balu powstała trzecia sytuacja zagrożenia, i to właśnie zapoczątkowało owe przerażające wypadki, które musimy tutaj omówić. Zaczniemy od(...)

(wcale się nie denerwuję ani trochę)
Tommy wpadł wcześniej, żeby przynieść jej bukiecik, i teraz sama przypinała go do sukni na ramieniu. Oczywiście nie miała matki, która by to za nią zrobiła i dopilnowała, żeby bukiecik znalazł się na właściwym miejscu. Jej mama zamknęła się w kaplicy i modliła się histerycznie już od dwóch godzin. Dochodzący stamtąd głos wznosił się i opadał niepokojąco w nieregularnych odstępach czasu.

(przykro mi mamo tylko że wcale nie jest mi przykro)
Kiedy w końcu przypięła bukiecik jak należy, opuściła ręce i stała przez chwilę nieruchomo, z zamkniętymi oczami. W całym domu nie było dużego lustra
(próżność próżność to wszystko próżność)
ale zdawało jej się, że wygląda dobrze. Musiała wyglądać dobrze. Na pewno...
Dość. Otwarła oczy. Bawarski zegar z kukułką, kupiony za Zielone Znaczki, pokazywał siódmą dziesięć.
(będzie tutaj za dwadzieścia minut)
A jeśli nie?
Może to wszystko było jednym wielkim żartem, ostatecznym, druzgocącym ciosem, końcowym pociągnięciem. Może miała tu siedzieć przez pół nocy w aksamitnej balowej sukni z obcisłym stanikiem, bufiastymi rękawami i długą, prostą spódnicą, i przypiętym do lewego ramienia bukiecikiem róż herbacianych.

Z drugiego pokoju dobiegł ją podniesiony głos matki:

– ...i na świętej ziemi! Wiemy, że nas śledzisz, że twoje Oko, szkaradne Oko, nigdy nie odpoczywa. Słyszymy dźwięk czarnych trąb. Z całego serca żałujemy...

Carrie nie sądziła, żeby ktokolwiek mógł zrozumieć, jakiej rozpaczliwej odwagi wymagała od niej ta decyzja – decyzja, żeby przyjąć zaproszenie i narazić się na wszystkie przerażające ewentualności, w jakie może obfitować dzisiejszy wieczór. Jedną z nich była możliwość, że Tommy wystawił ją do wiatru – ale to wcale nie byłoby najgorsze. Przyłapała się na ukradkowej myśli, że może rzeczywiście byłoby najlepiej, gdyby...

(nie przestań)

Oczywiście łatwiej byłoby zostać tutaj z mamą. Bezpieczniej. Wiedziała, co oni myślą o mamie. Cóż, może mama była stukniętą fanatyczką, ale przynajmniej wiadomo było, czego się po niej można spodziewać. Dom był bezpiecznym miejscem. Nikt tu się z niej nie wyśmiewał.

A jeśli Tommy nie przyjdzie, jeśli Carrie będzie musiała uznać się za pokonaną i zrezygnować? Szkoła skończy się za miesiąc. Co dalej? Prowadzić niekończącą się, ślimaczą egzystencję w tym domu, słuchać mamy, oglądać razem z nią teleturnieje i popularne seriale u pani Garrison, kiedy zapraszała Carrie na Wizytę (pani Garrison miała osiemdziesiąt sześć lat), po kolacji chodzić na spacery do centrum i ukradkiem opychać się słodyczami w Kelly Fruit, tyć, tracić nadzieję, tracić nawet zdolność myślenia?

Nie. Och, dobry Boże, tylko nie to.

(proszę spraw niech to się dobrze skończy)

– ...uchroń nas od Złego, który na rozdwojonych kopytach krąży po ulicach, czai się na parkingach i w ciemnych alejkach, o Zbawicielu...

Siódma dwadzieścia pięć.

Niepokój narastał. Nie myśląc o tym, co robi, zaczęła podnosić i opuszczać różne przedmioty, podobnie jak nerwowa kobieta, czekając na kogoś w restauracji, zwija w palcach róg obrusa. Potrafiła utrzymać w powietrzu pół tuzina przedmiotów jednocześnie,

nie odczuwając przy tym żadnego zmęczenia ani bólu głowy. Wciąż spodziewała się, że ta siła zacznie zanikać, ale nic takiego się nie działo. Wręcz przeciwnie. Wczoraj wieczorem, kiedy wracała ze szkoły, udało jej się przesunąć samochód

(och boże proszę cię niech to nie będzie żart)

zaparkowany na głównej ulicy przy krawężniku o dwadzieścia stóp, i to bez żadnego wysiłku. Przechodnie, którzy znaleźli się w pobliżu, gapili się na to, że mało oczy im nie wylazły na wierzch. Carrie oczywiście też się gapiła dla niepoznaki, ale w głębi duszy uśmiechała się z satysfakcją.

Z zegara wyskoczyła kukułka i odezwała się jeden raz. Siódma trzydzieści.

Zaczęła się trochę bać, odkąd się zorientowała, że posługiwanie się tą siłą stanowi ogromne obciążenie dla serca i płuc oraz powoduje gwałtowne skoki temperatury. Uważała za całkiem możliwe, że pewnego dnia jej serce dosłownie pęknie z wysiłku. Czasem miała wrażenie, że unosi się ponad swoim ciałem i zmusza je do coraz szybszego biegu, pogania bez litości. Sama nie czuła zmęczenia; to tylko jej ciało było wyczerpane. Zaczynała powoli rozumieć, że jej zdolności w dużym stopniu przypominają umiejętności fakirów, którzy chodzą po rozżarzonych węglach, wbijają sobie szpilki w oczy czy też beztrosko pozwalają się zakopywać żywcem i pozostają w ziemi przez sześć tygodni. Każda forma zwycięstwa ducha nad materią związana była z wyczerpującym eksploatowaniem zasobów organizmu.

Siódma trzydzieści dwie.

(nie ma go)

(nie myśl o tym woda w czajniku też się nigdy nie zagotuje jeśli na nią patrzysz on przyjdzie)

(nie nie przyjdzie siedzi teraz z przyjaciółmi i nabijają się z ciebie a za chwilę zaczną tędy przejeżdżać w swoich szybkich hałaśliwych samochodach śmiejąc się głośno wrzeszcząc i pohukując)

W rozpaczy zaczęła podnosić i opuszczać maszynę do szycia, kołysząc nią w powietrzu wahadłowym ruchem, coraz gwałtowniej.

– ...i uchroń nas także od nieposłusznych córek, dotkniętych zepsuciem, słuchających podszeptów Złego...

– Zamknij się! – wrzasnęła Carrie.

Na chwilę zapadła zdumiona cisza, a potem jękliwe mamrotanie rozpoczęło się od nowa.

Siódma trzydzieści trzy.

Nie ma go.

(jeśli nie przyjdzie rozwalę dom)

Naturalnie. Rozwiązanie samo się narzucało. Najpierw maszyna do szycia – roztrzaskać o ścianę salonu. Kanapa – przez okno. Stoły, krzesła, książki i broszurki fruwają w powietrzu, z przewodów kanalizacyjnych wyrwanych ze ścian tryska woda jak krew z rozdartych arterii. A z dachu, jeśli tylko potrafi tego dokonać, dachówki będą podrywać się w noc jak spłoszone gołębie...

Jaskrawy snop światła z przejeżdżającego samochodu uderzył w okno.

Wiele samochodów przejeżdżało obok, nie zatrzymując się i przyprawiając ją tylko o lekkie bicie serca, ale ten jeden jechał o wiele wolniej.

(o)

Podbiegła do okna niezdolna się opanować, i to był on, Tommy. Wysiadał właśnie z samochodu i nawet w słabym świetle ulicznych latarni wyglądał elegancko, przystojnie, prawie... olśniewająco. Dziwaczne wyrażenie pobudziło ją do śmiechu.

Mama przestała się modlić.

Carrie złapała lekki, jedwabny szal z oparcia krzesła i zarzuciła go na nagie ramiona. Przygryzła wargi, dotknęła włosów; duszę by sprzedała za możliwość przejrzenia się w lustrze. W holu na dole rozbrzmiał ostry dzwonek.

Zacisnęła dłonie i zmusiła się, żeby zaczekać do drugiego dzwonka. Potem powoli zeszła na dół w szeleście jedwabiu. Otworzyła drzwi i oto stał tam, niemal olśniewająco przystojny w białym smokingu i ciemnych wieczorowych spodniach.

Patrzyli na siebie. Żadne z nich się nie odezwało.

Czuła, że gdyby powiedział choć jedno drwiące słowo, chyba serce by jej pękło; umarłaby, gdyby się roześmiał. Niemal fizyczne czuła, że całe jej nieszczęsne życie zbiegło się w tej jednej chwili – że ta jedna chwila może stać się albo początkiem, albo też końcem wszystkiego.

Wreszcie zapytała bezradnie:
– Podobam ci się?
A on powiedział:
– Jesteś piękna.
I to była prawda.

Nadejście cienia (s. 131):

Podczas gdy uczestnicy wiosennego balu zbierali się w szkole lub pobliskim barze, Christine Hargensen i William Nolan spotkali się w pokoju nad barem w miejscowym motelu „The Cavalier". Wiemy, że spotykali się tam od jakiegoś czasu; ta informacja znajduje się w archiwach Białej Komisji. Nie wiemy jednak, czy ich plany już wówczas były ostatecznie ustalone, czy też kierowali się chwilowym kaprysem...

– Czy już czas? – zapytała go w ciemnościach. Spojrzał na zegarek.
– Nie.
Z dołu dochodził przytłumiony odległością grzmot szafy grającej piosenkę Raya Price'a: „She's Got To Be a Saint". W „The Cavalier", pomyślała Chris, nie zmienili płyt, odkąd była tu po raz pierwszy dwa lata temu ze sfałszowanym dowodem osobistym. Oczywiście siedziała wtedy na dole, w barze, a nie w jednym ze „specjalnych" pokoi Sama Deveraux.
Papieros Billy'ego zamigotał niespokojnie w ciemnościach jak oko rozzłoszczonego demona. Wpatrywała się w niego, analizując własne odczucia. Nie pozwoliła Billy'emu ze sobą spać, dopóki jej nie obiecał, że razem ze swoimi wypomadowanymi kumplami pomoże jej załatwić Carrie White, jeśli tamta mimo wszystko odważy się iść na bal z Tommym Rossem. To było w poniedziałek, ale spotykali się w tym pokoju również przedtem i parę razy doszło do całkiem ostrych pieszczot, co Chris nazywała „szkocką miłością", a Billy, ze swoją niezawodną umiejętnością wydobywania z każdej sprawy wszystkich wulgarnych aspektów, nazywał „macaniem na sucho".
Miała zamiar kazać mu czekać, dopóki w końcu czegoś nie zrobi.
(ale przecież coś zrobił zdobył krew)

Ale to wszystko zaczęło wymykać jej się z rąk. Czuła się zaniepokojona. Gdyby w poniedziałek nie oddała mu się dobrowolnie, wziąłby ją siłą.

Billy nie był jej pierwszym kochankiem, ale pierwszym, którego nie mogła zmusić, żeby zawsze tańczył tak, jak mu zagra. Jej dotychczasowi chłopcy to zawsze były tylko zmyślne marionetki o czystych, gładkich twarzach. Mieli bogatych, ustosunkowanych rodziców należących do podmiejskiego klubu. Jeździli własnymi volkswagenami, javelinami lub dodge'ami chargerami. Uczęszczali na uniwersytet stanu Massachusetts lub do Boston College. W lecie nosili kolorowe koszulki w paski, a jesienią kurtki w barwach studenckich bractw. Palili dużo marihuany i opowiadali o zabawnych rzeczach, które im się przydarzyły, kiedy byli nabuzowani. Na początku traktowali ją protekcjonalnie i z przyjacielską wyższością (wszystkie dziewczyny z ogólniaka, nawet najładniejsze, to tylko materiał do przelecenia), a w końcu każdy z nich łaził za nią jak pies z wywieszonym językiem i pożądliwym spojrzeniem. Jeśli łazili wystarczająco długo i wydali na nią dość pieniędzy, zwykle zgadzała się pójść z nimi do łóżka. Najczęściej jednak leżała wtedy nieruchomo jak kłoda, ani nie pomagając, ani nie przeszkadzając, dopóki nie było po wszystkim. Później sama doprowadzała się do orgazmu, rozpamiętując całe wydarzenie, a jeszcze później wyrzucała je z pamięci.

Poznała Billy'ego Nolana dzięki temu, że w jednym z pokojów w Cambridge odkryto narkotyki. Czterech studentów, w tym partner Chris na ten wieczór, zostało oskarżonych o posiadanie marihuany. Chris i inne dziewczęta oskarżono o współudział. Jej ojciec zajął się tym ze zwykłą znajomością rzeczy, a po wszystkim zaczął robić Chris wymówki: czy ona zdaje sobie sprawę, co by się stało z jego reputacją i praktyką, gdyby jego córkę zamknięto za narkotyki? Chris odparła, że wątpi, czy cokolwiek jeszcze mogłoby im zaszkodzić, a wtedy ojciec zabrał jej samochód.

Pewnego popołudnia w tydzień później Billy zaofiarował się, że odwiezie ją ze szkoły do domu, a ona się zgodziła.

Billy był typem człowieka, z którego inni podśmiewają się za plecami – a jednak w jakiś sposób ją fascynował i teraz, odpoczywając w miłym rozleniwieniu na tym nielegalnym łóżku (ale z podniecającym uczuciem przyjemnego strachu), pomyślała, że być może chodziło o jego samochód – przynajmniej z początku.

W niczym nie przypominał anonimowych pojazdów prosto z fabrycznej taśmy, którymi jeździła na swoje randki ze studentami – klimatyzowanych, z osłoniętą kierownicą, wypełnionych niezbyt przyjemnym zapachem plastikowych pokrowców na siedzenia i środka do mycia szyb.

Samochód Billy'ego był stary, ciemny i w jakiś sposób ponury; szyby miały mleczne obwódki, jakby tworzyła się na nich katarakta, siedzenia były zniszczone i rozklekotane, w tyle przetaczały się z brzękiem butelki po piwie (jej studenccy partnerzy pijali budweisera; Billy i jego przyjaciele pili rheingolda); musiała objąć nogami wielką pozbawioną wieka tłustą od smarów skrzynkę z narzędziami. Znajdujące się w niej narzędzia pochodziły z wielu różnych firm; podejrzewała, że były kradzione. W samochodzie śmierdziało olejem i benzyną. Przez cienką podłogę dochodziło głośne, radosne bulgotanie w przewodach. Pod szybkościomierzem, wskaźnikiem ciśnienia oleju i tachometrem (cokolwiek by to było) widniał szereg tarcz. Tylne koła zarzucały, a maska celowała w ziemię.

I oczywiście Billy jeździł szybko.

Za trzecim razem, kiedy odwoził ją do domu, jedna z łysych przednich opon pękła przy szybkości sześćdziesięciu mil na godzinę. Samochód wpadł w poślizg i szedł bokiem na piszczących oponach, którym wtórowała Chris, przekonana, że nadszedł kres jej życia. Na oka mgnienie ujrzała wizję własnego połamanego, skrwawionego ciała ciśniętego jak sterta szmat na słup telegraficzny. Obraz był wyraźny jak zdjęcie w gazecie. Billy zaklął i gwałtownie zakręcił obszytą futerkiem kierownicą.

W końcu zatrzymali się na poboczu po lewej stronie. Kiedy na trzęsących nogach wygramoliła się z wozu, zobaczyła, że opony zostawiły za nimi kręty ślad spalonej gumy na odcinku co najmniej siedemdziesięciu stóp.

Billy już otwierał bagażnik, wyciągał podnośnik i mruczał coś do siebie. Nawet włosek nie drgnął w jego fryzurze. Minął ją z papierosem dyndającym w kąciku ust.

– Daj tu tę skrzynkę z narzędziami, mała.

Była zszokowana. Dwa razy otworzyła i zamknęła usta jak ryba wyrzucona na brzeg, zanim wydobyła z siebie głos.

– Ja... jeszcze czego! O mało mnie nie za... ty... ty zwariowany skurwysynu! Poza tym ona jest brudna!

Odwrócił się i popatrzył na nią z twarzą bez wyrazu.

– Albo ją przyniesiesz, albo nie zabiorę cię na te cholerne walki jutro wieczorem.

– Nienawidzę walk! – Nigdy jeszcze nie była na żadnej, ale trzęsąca nią wściekłość domagała się ujścia. Jej dotychczasowi adoratorzy zabierali ją na koncerty rockowe, czego nie znosiła. Zawsze musiała się znaleźć w pobliżu kogoś, kto się nie kąpał od tygodni.

Billy wzruszył ramionami, odwrócił się do niej tyłem i zabrał się do podnoszenia samochodu.

Przyniosła skrzynkę z narzędziami, brudząc smarem swój nowy, piękny sweter. Billy mruknął coś pod nosem, nie odwracając się. Podkoszulek wysunął mu się z dżinsów; na plecach, pod gładką, opaloną skórą poruszały się mięśnie. To ją zafascynowało; nieświadomie przesunęła językiem po wargach. Pomogła mu zdjąć oponę z koła, przy czym usmoliła sobie ręce. Samochód zakołysał się niebezpiecznie na podnośniku, a zapasowa opona była w dwóch miejscach przetarta do płótna.

Kiedy skończyli robotę i Chris ponownie zajęła miejsce w samochodzie, na jej swetrze i kosztownej czerwonej spódnicy zostały tłuste smugi smaru.

Gdy tylko Billy usiadł za kierownicą, zaczęła:

– Jeśli myślisz...

Przechylił się na siedzeniu i pocałował ją, brutalnie przesuwając rękami po jej ciele, od talii aż do piersi. Jego oddech cuchnął tytoniem; czuć od niego było potem i brylantyną. W końcu wyrwała mu się i łapiąc oddech, popatrzyła na swoje ubranie. Sweter był zakurzony i poplamiony smołą z nawierzchni drogi.

Zapłaciła za niego dwadzieścia siedem pięćdziesiąt u Jordana Marsha, a teraz nadawał się tylko do wyrzucenia. Czuła intensywne, niemal bolesne podniecenie.

– Jak się z tego wytłumaczysz? – zapytał i znowu ją pocałował. Miała wrażenie, że się przy tym uśmiecha.

– Dotykaj mnie – szepnęła mu do ucha. – Dotykaj mnie wszędzie. Pobrudź mnie.

Posłuchał jej. Jedna nylonowa pończocha pękła, dziura wyglądała jak otwarte do krzyku usta. Brutalnie zadarł jej krótką spódniczkę aż do talii. Wbił się w nią łapczywie, na oślep, bez żadnej finezji. A jednak coś – może właśnie jego brutalność, a może to, że przed chwilą stanęła oko w oko ze śmiercią – sprawiło, że nagle osiągnęła wstrząsający orgazm. Poszła z nim na walki.

– Za kwadrans ósma – powiedział, siadając. Zapalił lampę i zaczął się ubierać. Jego ciało nadal ją fascynowało. Pomyślała o tym, co się stało w poniedziałek. Chciał...

(nie)

Może później będzie czas, żeby o tym pomyśleć, później, kiedy będzie coś z tego miała poza niepotrzebnym podnieceniem. Spuściła nogi z łóżka i wśliznęła się w cienkie jak pajęczyna majteczki.

– Może to nie najlepszy pomysł – powiedziała, sama nie wiedząc, czy wypróbowuje jego, czy siebie. – Może powinniśmy po prostu wrócić do łóżka i...

– To dobry pomysł – uciął. Przebłysk humoru rozjaśnił mu twarz. – Świńska krew dla świni.

– Co?

– Nic. Wstawaj. Ubieraj się.

Usłuchała go i kiedy zbiegali po schodach do tylnego wyjścia, czuła narastające w dole brzucha ostre, drapieżne podniecenie, ciemne jak noc.

Nazywam się Susan Snell (s. 45):
Wiecie, nie jestem wcale tak załamana, jak ludzie się po mnie spodziewają. Oczywiście nie mówią tego wprost; na odwrót, to oni zawsze powtarzają, jak okropnie im przykro. Z reguły zaraz po-

tem proszą mnie o autograf. Ale mimo wszystko spodziewają się, że będę smutna. Spodziewają się, że będę miała zapłakane oczy, że będę się ubierać na czarno, że zacznę trochę za dużo pić albo brać pigułki. Wtedy mogliby mówić: „Och, co za wstyd. Ale trzeba zrozumieć, przez co ona przeszła...".

Ple, ple, ple.

Tylko że żal jest jak plaster na zranione uczucia. Możesz powiedzieć, że jest ci przykro, kiedy wylejesz kawę albo kiedy spudłujesz podczas gry w kręgle. Prawdziwy żal jest tak samo rzadki jak prawdziwa miłość. Nie mogę powiedzieć, że żałuję, że Tommy nie żyje. Wydaje mi się zbyt nierzeczywisty, jak sen, który kiedyś mi się przyśnił. Pewnie pomyślicie, że to okrutne, ale od wiosennego balu upłynęło już dużo czasu. I nie żałuję swojego wystąpienia przed Białą Komisją. Powiedziałam prawdę – całą prawdę, jaką znałam.

Ale żal mi Carrie White.

Zapomnieli o niej, wiecie. Zrobili z niej symbol i zapomnieli, że była żywą ludzką istotą, tak samo żywą, jak my wszyscy, mającą własne marzenia i nadzieje... ple, ple, ple. Chyba niepotrzebnie wam to mówię. Nic już nie może sprawić, żeby stała się dla was znowu człowiekiem, a nie monstrum stworzonym przez gazety. A przecież była człowiekiem i cierpiała. Być może nigdy się nie dowiemy, jak bardzo cierpiała.

Dlatego żal mi jej i mam nadzieję, że bal był dla niej czymś wspaniałym. Mam nadzieję, że dopóki koszmar się nie zaczął, bal był dla niej niezwykłym, pięknym, cudownym i czarodziejskim przeżyciem...

Tommy wjechał na parking obok nowego skrzydła szkoły, przez chwilę trzymał silnik na chodzie, a potem wyłączył zapłon. Carrie siedziała obok bez ruchu, przytrzymując szal na nagich ramionach. Nagle to wszystko zaczęło jej się wydawać jakimś nierzeczywistym snem. Dopiero teraz dotarło do niej, co zrobiła. Jak mogła tak postąpić! Zostawiła mamę samą!

– Zdenerwowana? – zapytał Tommy i Carrie podskoczyła.

– Tak.

Zaśmiał się i wysiadł z samochodu. Chciała otworzyć drzwi po swojej stronie, ale ją uprzedził.

– Nie denerwuj się – powiedział. – Jesteś jak Galatea.
– Kto?
– Galatea. Czytaliśmy o niej na lekcjach pana Eversa. Z kopciuszka zamieniła się w piękną kobietę i nikt jej nawet nie poznał. Zastanowiła się przez chwilę.
– Wolałabym, żeby mnie poznali – powiedziała w końcu.
– Nie mam ci tego za złe. Chodź.

George Dawson i Frieda Jason stali obok automatu z colą. Frieda miała na sobie tiulową pomarańczową kombinację, w której wyglądała trochę jak tuba kontrabasu. Donna Thibodeau i David Bracken odbierali przy drzwiach bilety. Oboje byli członkami Ochotniczej Służby Porządkowej i należeli do osobistego gestapo panny Geer. Ubrani byli w barwy szkolne – białe spodnie i czerwone blezery. Tina Blake i Norma Watson rozdawały programy i kierowały gości do stolików zgodnie z rozkładem. Obie były ubrane na czarno; na pewno uważają, że wyglądają bardzo wytwornie, pomyślała Carrie, ale jej przypominały sprzedawczynie papierosów w jakimś starym gangsterskim filmie.

Wszyscy się odwrócili, kiedy Carrie i Tommy weszli do środka, i przyglądali im się przez chwilę w pełnym napięcia niezręcznym milczeniu. Carrie poczuła gwałtowną chęć, żeby zwilżyć wyschnięte wargi, ale się opanowała. Potem George Dawson zawołał:

– O rany, Ross, wyglądasz jak pedał!

Tommy uśmiechnął się.

– A ty, kiedy zdążyłeś zleźć z drzewa, małpoludzie?

Dawson skoczył do przodu z podniesionymi pięściami i Carrie zesztywniała z przerażenia. Była tak spięta, że o mało co nie rzuciła George'a przez pokój. Dopiero po chwili zrozumiała, że to była tylko ich dawna ulubiona zabawa, najwyraźniej powtarzająca się przy każdej okazji. Przez chwilę obaj boksowali się w kręgu zaciekawionych widzów. Potem George, który zainkasował dwa ciosy w żebra, zaczął gulgotać i wrzeszczeć:

– Bić Wietnamców! Bić Koreańców! Powbijać na pal! Rzucić tygrysom! – i Tommy ze śmiechem opuścił ręce.

– Nie przejmuj się – poradziła jej Frieda, marszcząc swój ostro zakończony nos i odciągając ją na bok. – Jeśli się pozabijają, ja z tobą zatańczę.

– Wyglądają za głupio, żeby się pozabijać – odważyła się powiedzieć Carrie. – Jak dinozaury. – A kiedy Frieda się uśmiechnęła, Carrie poczuła, że żelazna dłoń ściskająca jej wnętrzności zaczyna się rozluźniać. Zalała ją fala ciepła. Ulga. Odprężenie.

– Gdzie kupiłaś tę sukienkę? – zapytała Frieda. – Cholernie mi się podoba.

– Uszyłam ją.

– Sama? – Frieda wytrzeszczyła na nią oczy w niekłamanym zdumieniu. – Gówno prawda!

Carrie poczuła, że gwałtownie się czerwieni.

– Naprawdę. Ja... ja lubię szyć. Kupiłam materiał u Johna w Andover. Wykrój jest całkiem prosty.

– Chodźcie – popędzał ich George. – Zaraz zaczną grać. – Przewrócił oczami i zaczął się wyginać w szyderczej parodii tańca. – Wibracje, wibracje, wibracje. My, żółtki, kochamy te wielkie wiiibracje.

Po wejściu na salę George zaczął robić miny i przedrzeźniać Flasha Bobby'ego Picketta. Carrie opowiadała Friedzie o swojej sukience, a Tommy po prostu stał z uśmiechem i z rękami w kieszeniach. Wypychasz sobie smoking, zwróciłaby mu uwagę Sue, ale pieprzyć to, najważniejsze, że wszystko gra. Na razie wszystko gra.

Jemu, George'owi i Friedzie pozostało niecałe dwie godziny życia.

Nadejście cienia (s. 132).

Twierdzenie Białej Komisji, jakoby kluczowym punktem w całej sprawie były dwa wiadra ze świńską krwią zawieszone na belce nad sceną, wydaje się zbyt słabo umotywowane, nawet w świetle braku konkretnych dowodów. Jeśli przyjmiemy za dobrą monetę zeznania grupy przyjaciół Nolana (a mówiąc z brutalną szczerością, nie wydają się oni wystarczająco inteligentni, żeby umieć przekonująco kłamać), to musimy dojść do wniosku, że Nolan całkowicie przejął inicjatywę z rąk Christine Hargensen i osobiście zajął się tą częścią zadania...

Nie rozmawiał, kiedy prowadził samochód; lubił prowadzić. Ta czynność dawała mu poczucie władzy, z którym nic się nie mogło równać, nawet pieprzenie. Droga rozwijała się przed nim w czarno-białych kolorach, jak na fotografii. Strzałka szybkościomierza drgała tuż za siedemdziesiątką. Pochodził z rozbitej rodziny, jak to określają pracownicy opieki społecznej. Jego ojciec wyniósł się z domu, kiedy zbankrutowała niedbale przezeń prowadzona stacja benzynowa. Billy miał wtedy dwanaście lat. Od tego czasu matka zmieniła czterech kochanków. Ostatnio obdarzała swymi łaskami niejakiego Bruce'a, nałogowego obżartucha. I sama powoli zamieniała się w wielki wór sadła. Ale to było nieważne, liczył się samochód. Samochód obdarzył go siłą. W liniach karoserii zaklęta była mistyczna moc. Samochód uczynił go człowiekiem, z którym inni muszą się liczyć, człowiekiem władającym maną.

Nieprzypadkowo większości swoich podbojów dokonywał na tylnym siedzeniu. Samochód był jego niewolnikiem, a zarazem bogiem. Obdarzał życiem i mógł je odebrać. Billy wiele razy używał go jako narzędzia mordu. Podczas długich, bezsennych nocy, kiedy matka i Bruce kłócili się zażarcie, Billy zabierał torbę prażonej kukurydzy i wyruszał na krucjatę przeciw bezdomnym psom. Czasami, kiedy wracał nad ranem i z wyłączonym silnikiem wjeżdżał do garażu, który zbudował na tyłach domu, przedni zderzak dosłownie ociekał krwią.

Chris poznała już jego zwyczaje wystarczająco dobrze, żeby nie silić się na konwersację, która i tak zostałaby zignorowana. Siedziała obok niego z jedną nogą podwiniętą pod siebie, obgryzając paznokcie. Światła samochodów pędzących z naprzeciwka szosą 302 rozświetlały jej włosy, zamieniając je w srebro.

Zastanawiał się, jak długo jeszcze z nim zostanie. Może tylko do dzisiejszego wieczoru. W jakiś dziwny sposób od samego początku wszystko ku temu zmierzało, a kiedy już cała rzecz się dokona, wtedy to, co ich wiąże, zacznie się rozpadać – aż wreszcie staną się sobie tak obcy, że przestaną rozumieć, co właściwie ich do siebie ciągnęło. Pomyślał, że Chris, zamiast wydawać mu się jakąś boginką, coraz bardziej zacznie mu przypominać typową sukę z wyższych sfer i coraz bardziej będzie miał ochotę trochę jej przyłożyć. Albo nawet więcej niż trochę. Utrzeć jej nosa. Wjechali na szczyt Brickyard Hill. W dole widać już było budynki szkolne i parking zapchany nowiutkimi, błyszczącymi samochodami tatusiów. Na ten widok poczuł, jak znajome uczucie wstrętu i nienawiści podchodzi mu do gardła. Mamy coś dla was (niezapomniany wieczór) w prezencie. Będzie dobra zabawa.

Skrzydła budynku szkolnego były ciemne, ciche i ponure; westybul oświetlała zwykła żółta żarówka, a przeszklona ściana sali gimnastycznej jarzyła się delikatną, eteryczną pomarańczową poświatą. Ponownie poczuł gorycz w ustach i gwałtownie zapragnął rozwalić to wszystko w kawałki.

– Widzę światła. Widzę światła na balu – wymamrotał.

– Co? – Chris, nagle wytrącona z własnych rozmyślań, odwróciła się do niego.

– Nic. – Dotknął nasady jej szyi. – Chyba pozwolę ci pociągnąć za sznurek.

Billy przygotował to sam, ponieważ aż za dobrze wiedział, że nikomu nie można ufać. To była trudna lekcja, o wiele trudniejsza niż wszystko, czego uczono w szkole, ale Billy dobrze ją opanował. Chłopcy, którzy poprzedniej nocy pojechali z nim na farmę Henty'ego, nie wiedzieli nawet, do czego potrzebował tej krwi. Być może podejrzewali, że Chris maczała w tym palce, ale nie mogli być pewni.

Dotarł do szkoły parę minut po północy, z czwartku na piątek, i najpierw dwukrotnie objechał budynki dookoła, żeby się upewnić, że wszędzie jest pusto i żadnego z dwóch policyjnych wozów z Chamberlain nie ma w pobliżu.

Z wyłączonymi światłami wjechał na parking i zatrzymał się pod tylną ścianą budynku. Za sobą widział boisko futbolowe okryte jasnym, połyskliwym oparem, ścielącym się nisko przy ziemi.

Otworzył bagażnik i zdjął pokrywę ze skrzyni z lodem. Krew zamarzła na kamień, ale to nic nie szkodziło. W ciągu następnych dwudziestu czterech godzin na pewno odtaje.

Postawił wiadra na ziemi, wyjął kilka narzędzi ze swojej skrzynki i poupychał je po kieszeniach. Podniósł z przedniego siedzenia brązową torbę. W środku zabrzęczały śrubki.

Pracował bez pośpiechu, z całkowitym spokojem i koncentracją, jak ktoś, kto jest przekonany o własnym bezpieczeństwie. Sala gimnastyczna, gdzie miały się odbywać tańce, służyła również jako aula szkolna. Rząd okien wychodzących na parking, gdzie postawił samochód, prowadził do pomieszczenia za kulisami wykorzystywanego jako magazyn.

Wybrał płaski pręt z łopatkowatym zakończeniem i wsadził go w wąską szczelinę między górną a dolną połową okna. To był świetny przyrząd. Sam go zrobił w sklepie z artykułami żelaznymi. Kręcił nim, dopóki zamek nie puścił. Wtedy pchnął dolną połowę okna do góry i wśliznął się do środka.

Wewnątrz było bardzo ciemno. Nad wszystkim dominował zapach starej farby z dekoracji Kółka Dramatycznego. Pudła na instrumenty i podstawki pod nuty, stanowiące własność szkolnej orkiestry, zaciągnęły wokół ponurą wartę. W kącie stało pianino pana Downera.

Billy wyciągnął z torby małą latarkę i odgarnąwszy czerwoną aksamitną kurtynę, przedostał się na scenę. Gładka, lakierowana podłoga sali gimnastycznej, z wymalowanymi liniami do koszykówki, lśniła ciepłym, bursztynowym blaskiem. Billy skierował światło latarki na proscenium. Tutaj, na samym froncie sceny, ktoś zaznaczył kredą na podłodze zarysy dwóch tronów – dla króla i królowej – które zostaną ustawione następnego dnia. A wtedy całe proscenium będzie zasypane papierowymi kwiatami... po co? Bóg jeden wie.

Zadzierając głowę, skierował snop światła na sufit. W górze krzyżowały się wśród cieni stalowe dźwigary. Ponad parkietem tanecznym belki owinięte były kolorową bibułą, ale nad samym proscenium nie było żadnych dekoracji. Krótka, ruchoma kurtyna zasłaniała je tak, że były niewidoczne z parkietu. Kurtyna przesłaniała również zainstalowane wcześniej reflektory, które miały oświetlać malowidło z gondolą.

Billy zgasił latarkę, przeszedł na lewą stronę proscenium i wspiął się na stalową drabinkę przymocowaną do ściany, przy czym zawartość jego brązowej torby, którą dla bezpieczeństwa wetknął za koszulę, pobrzękiwała z lekka. W pustej sali gimnastycznej ten dźwięk był dziwnie pokrzepiający.

Na szczycie drabiny znajdowała się niewielka platforma. Kiedy Billy odwrócił się twarzą do proscenium, nadscenie znalazło się po jego prawej stronie, a sala gimnastyczna – po lewej. W nadsceniu zmagazynowane były rekwizyty Kółka Dramatycznego, niektóre pochodzące aż z lat dwudziestych. Gipsowe popiersie Pallas Ateny z jakiejś starożytnej dramatycznej przeróbki poematu Poego „Kruk" spoglądało na niego martwymi, ślepymi oczami ze stosu zardzewiałych sprężyn od materaców. Dokładnie nad jego głową biegła stalowa belka przechodząca nad proscenium. Do niej przymocowane były reflektory mające oświetlać malowidło.

Swobodnie, bez wysiłku przeszedł na belkę i krok po kroku zaczął się przesuwać do przodu. Podśpiewywał pod nosem popularną melodię. Belka pokryta była grubą na cal warstwą kurzu, w którym jego stopy zostawiały głębokie ślady. W połowie drogi zatrzymał się, ukląkł i spojrzał w dół.

Tak. Dzięki latarce mógł dokładnie wyznaczyć miejsce nad kredowym obrysem tronów na proscenium. Zagwizdał bezgłośnie.

(bomby już lecą)

Precyzyjnie zaznaczył w kurzu właściwe miejsce i wycofał się po belce z powrotem na platformę. Nikt już tutaj nie wejdzie przed balem; wyłącznik reflektorów oświetlających malowidło i miejsce, gdzie król i królowa zostaną ukoronowani

(zostaną ukoronowani a jakże)

znajdowały się w kulisach. Każdy, kto spojrzy w górę z tego miejsca, zostanie oślepiony przez te same reflektory. Jego manipulacje zostałyby zauważone tylko wówczas, gdyby ktoś wszedł po coś do nadscenia. Ale nie przypuszczał, żeby ktokolwiek miał tam wchodzić. To było dopuszczalne ryzyko.

Otworzył brązową torbę, wydobył parę gumowych rękawiczek, nałożył je, a następnie wyjął dwa bloki linowe, które kupił poprzedniego dnia. Dla bezpieczeństwa dokonał tego sprawunku w sklepie z artykułami żelaznymi w Boxford. Wsadził do ust kilka gwoździ i wziął do ręki młotek. Wciąż podśpiewując pod nosem (niewyraźnie, bo gwoździe sterczały mu z ust jak papierosy), zamocował starannie jeden z bloczków w rogu nad platformą. Obok przybił niewielką pętlę z drutu.

Zszedł z drabiny, minął kulisy i wdrapał się na drugą drabinę w pobliżu okna, przez które dostał się do środka. Znalazł się na strychu; była to jakaś szkolna rupieciarnia, gdzie walały się sterty starych albumów pamiątkowych, zjedzone przez mole kostiumy gimnastyczne i stare podręczniki poobgryzane przez myszy.

Odwróciwszy się w lewo, widział nadscenie i mógł dosięgnąć światłem latarki do bloczka, który dopiero co zamocował. Kiedy odwrócił się w prawo, zimny powiew nocnego powietrza z wywietrznika musnął mu twarz. Nadal podśpiewując, wyjął drugi bloczek i przybił go do ściany.

Zszedł na dół, wylazł przez okno na dwór i wziął dwa wiadra ze świńską krwią. Wstępne przygotowania zajęły mu pół godziny, ale zamarznięta krew jeszcze nawet nie zaczęła tajać. Zaniósł wiadra pod okno niczym farmer wracający w ciemnościach od pierwszego udoju. Wstawił je do środka i sam wlazł za nimi.

Spacer po belce okazał się łatwiejszy, kiedy w obu rękach niósł wiadra, którymi mógł balansować dla utrzymania równowagi. Dotarłszy do zaznaczonego miejsca, postawił wiadra, jeszcze raz przyjrzał się śladom kredy na podłodze i z zadowoleniem kiwnął głową. Potem wrócił na platformę. Pomyślał, że powinien wytrzeć wiadra, kiedy już zakończy przygotowania – mogły się na nich znajdować odciski palców Kenny'ego, a także Dona i Steve'a – ale zdecydował, że lepiej tego nie robić. Może w sobotę rano spotka ich mała niespodzianka. Uśmiechnął się krzywo na tę myśl. Ostatnim przedmiotem w torbie był kłębek mocnego szpagatu. Billy wrócił na środek belki i zawiązał węzły na rączkach obu wiader. Potem przeciągnął szpagat przez pętlę i przez bloczek. Przerzucił resztę sznurka na strych, przeszedł na drugą stronę i przeciągnął go przez drugi bloczek. Pewnie nie byłby zachwycony, gdyby ktoś mu powiedział, że w tej ponurej, ciemnej auli, gdzie miękkie, szare kłaczki kurzu nagromadzonego od dziesięcioleci czepiały się leniwie jego rozczochranych włosów, wyglądał jak garbaty, na wpół szalony Rube Goldberg*, konstruujący ulepszoną pułapkę na myszy.

Przerzucił luźny koniec sznurka przez szczeble drabinki obok szczeliny wywietrznika. Zszedł na dół po raz ostatni i otrzepał ręce z kurzu. Gotowe.

Wyjrzał przez okno, następnie wyśliznął się na zewnątrz i zeskoczył na ziemię. Opuścił szybę, wyciągnął swój złodziejski łom i zamknął okno najlepiej, jak potrafił, a potem wrócił do samochodu.

Chris powiedziała, że istnieją spore szanse, że na tronach zasiądą Tommy Ross i ta dziwka White; od pewnego czasu przeprowadzała dyskretną akcję propagandową wśród przyjaciół. Cieszyłby się, gdyby tak się stało. Ale gdyby ktoś inny znalazł się na ich miejscu, również byłby zadowolony.

Chwilami zaczynał myśleć, że nieźle by było, gdyby znalazła się tam sama Chris.

Odjechał.

Nazywam się Susan Snell (s. 48):
Carrie spotkała się z Tommym na dzień przed balem.

Czekała na niego przed klasą. Tommy powiedział mi potem, że miała tak przerażoną minę, jakby się bała, że na nią wrzaśnie, żeby przestała się go czepiać.

Poinformowała go, że musi być w domu najpóźniej o wpół do dwunastej, bo jej mama będzie się niepokoić. Powiedziała, że nie chce mu psuć zabawy ani nic takiego, ale że również nie chce denerwować mamy.

Tommy zaproponował, żeby wracając, wstąpili do Kelly Fruit na ciemne piwo i hamburgera. Wszyscy wybierają się do Westover albo do Lewiston, więc będą mieli całą knajpę dla siebie. Opowiadał, że twarz Carrie aż się rozjaśniła na tę propozycję. Zapewniła go, że to byłoby wspaniale. Po prostu wspaniale.

Taka była dziewczyna. którą teraz wszyscy nazywają potworem. Chciałabym, żebyście dobrze to sobie zapamiętali. Oto dziewczyna, która zadowala się hamburgerem i szklanką piwa za dziesiąt-

---

* Reuben Lucius „Rube" Goldberg (1883–1970) – amerykański rysownik karykaturzysta.

kę. Dziewczyna, która ze swojej pierwszej szkolnej zabawy chciała wrócić wcześniej, żeby nie niepokoić mamy...

Pierwszą rzeczą, która uderzyła Carrie, kiedy weszli do środka, był Przepych. Nie przepych, ale Przepych. Szelest kosztownych materiałów, szyfonu, jedwabiu, koronek, satyny. Powietrze było ciężkie od zapachu kwiatów, upajająca woń drażniła powonienie. Dziewczęta w sukniach bez pleców, przymarszczonych w talii, z głębokimi dekoltami odsłaniającymi piersi. Długie spódnice, wieczorowe pantofelki. Oślepiająco białe smokingi, czarne spodnie, czarne lakierki błyszczące jak lustra.

Na parkiecie znajdowało się jeszcze niewiele osób. Wirujące w nastrojowym półmroku pary wyglądały jak bezcielesne zjawy. Carrie nie chciała w nich widzieć kolegów i koleżanek z klasy. Wolała myśleć o nich jak o pięknych nieznajomych.

Tommy trzymał ją mocno za łokieć.

– Ładna dekoracja – zauważył.

– Tak – zgodziła się słabym głosem.

Miękkie światło wydobywało z malowidła pomarańczowe tony, podkreślało postać gondoliera pochylonego nad sterem i zastygłego w odwiecznym *dolce far niente*, podczas gdy zachodzące słońce otaczało go aureolą, a wąskie kamieniczki, odbijające się w wodach kanału, wydawały się szeptać coś do siebie. Z nagłą, przedziwną jasnością Carrie zrozumiała, że ta chwila pozostanie w niej na zawsze, głęboko wyryta w pamięci.

Nie wiedziała, czy inni czują to samo – w końcu jeździli przecież po świecie i z pewnością podziwiali piękniejsze widoki – ale nawet George nie odzywał się przez minutę, kiedy tak stali i patrzyli – a cała sceneria, zapach, nawet dźwięki orkiestry grającej jakiś niejasno znajomy temat z filmu – wszystko to pozostawiało niezatarte wrażenie. Spokój. Jej dusza przez chwilę doznała ukojenia, jakby wszystkie zmarszczki zostały wyprasowane gorącym żelazkiem.

– Wiiibracje! – wrzasnął nagle George i pociągnął Friedę na parkiet. Zaczął wykonywać żartobliwego jitterburga do starej, dawno zapomnianej melodii granej przez bigbandową kapelę. Ktoś go wygwizdał. George odwrzasnął coś w odpowiedzi, łypnął spode łba złym spojrzeniem i założywszy ręce na piersi, puścił się w szybkiego trepaka, przy czym omal nie wylądował na tyłku.

Carrie uśmiechnęła się.

– George jest zabawny – powiedziała.

– No pewnie. To fajny chłopak. Dużo jest tutaj fajnych ludzi. Chcesz usiąść?

– Tak – odparła z wdzięcznością.

Tommy podszedł do drzwi i wrócił z Normą Watson, której włosy na tę okazję uczesane były w wielki kok, wystrzelający ku sufitowi.

– To po drugiej stronie – oznajmiła Norma, podczas gdy jej jasne, przezroczyste oczy obmacywały Carrie od stóp do głów, próbując odnaleźć wystające ramiączko od stanika, nowe pryszcze, cokolwiek, czym mogłaby się później podzielić z koleżankami, kiedy już odprowadzi ich na miejsce. – Jaka piękna sukienka, Carrie. Gdzieś ty ją dostała?

Carrie wyjaśniła jej całą sprawę, kiedy Norma prowadziła ich wokół parkietu do stolika, obficie wydzielając zapachy mydła Avon, perfum Woolwortha i gumy do żucia Juicy Fruit.

Przy stoliku stały dwa składane krzesła (oczywiście udekorowane nieodzowną kolorową bibułą), a sam stolik przykryty był bibułą w kolorach szkoły. Na środku stała świeczka zatknięta w butelkę po winie, a obok leżał program tańców, maleńki pozłacany ołówek i dwa pamiątkowe bibeloty – gondole wypełnione mieszanką orzechową.

– Nie mogę tego pojąć – mówiła Norma. – Wyglądasz całkiem inaczej. – Obrzuciła twarz Carrie dziwacznym, ukradkowym spojrzeniem, aż Carrie poczuła się nieswojo. – Jesteś jak przeobrażona. Jak ty to robisz? Masz jakiś sekret?

– Nie wiedziałaś, że jestem kochanką Dona McLeana? – odparła Carrie. Tommy parsknął śmiechem i pospiesznie się opanował. Promienny uśmiech Normy przygasł na mgnienie oka; Carrie była zdumiona własnym refleksem – i zuchwałością. Tak właśnie wyglądasz, kiedy to z ciebie stroi się żarty, moja droga. Przez głowę przemknęła jej niezbyt chrześcijańska myśl, że Norma ma taki wyraz twarzy, jakby niespodziewanie pszczoła ugryzła ją w tyłek.

– No, muszę wracać – powiedziała w końcu. – Czyż to wszystko nie jest podniecające, Tommy? – Jej uśmiech był pełen wyrozumiałości. – Czy nie byłoby podniecające, gdyby...

– Zimny pot spływa mi strumieniami po nogach – przyznał Tommy ze śmiertelną powagą w głosie. Norma uśmiechnęła się niepewnie i odeszła. Coś tu było nie tak. Przecież wszyscy wiedzieli, jak to jest z Carrie. Tommy znowu parsknął śmiechem.

– Zatańczymy? – zaproponował.

Carrie nie umiała tańczyć, ale na razie wolała się do tego nie przyznawać.

– Może najpierw usiądźmy na chwilę.

Kiedy Tommy przytrzymywał jej krzesło, zauważyła świecę i poprosiła, żeby ją zapalił. Ich oczy spotkały się ponad płomieniem. Wyciągnął rękę i ujął jej dłoń. A orkiestra grała dalej.

Nadejście cienia (s. 133–134):
   Być może pewnego dnia zostaną podjęte szczegółowe studia nad postacią matki Carrie, kiedy już problem samej Carrie stanie się bardziej akademicki. Sam mógłbym się o to pokusić, gdyby umożliwiono mi dostęp do drzewa genealogicznego rodziny Brighamów. Niezwykle interesujące byłoby wiedzieć, jakie niecodzienne zjawiska zachodziły w tej rodzinie dwa lub trzy pokolenia wstecz... Oczywiście pozostaje jeszcze ten niewyjaśniony fakt, że Carrie wróciła do domu z wiosennego balu. Po co? Trudno powiedzieć, w jakim stopniu sama Carrie kierowała się wtedy racjonalnymi motywami. Mogła pragnąć rozgrzeszenia i przebaczenia, a mogła też od początku nosić się z zamiarem popełnienia matkobójstwa. W każdym razie niezbite dowody wskazują na to, że Margaret White na nią czekała...

Dom był całkowicie cichy. Carrie wyszła.
W nocy.
Wyszła.
Margaret White powoli przeszła z sypialni do salonu. Najpierw pojawiła się krew, a razem z nią plugawe myśli zesłane przez szatana. Potem ta diabelska moc, którą dał jej szatan. Objawia się wtedy, kiedy przychodzi czas krwi i włosów na ciele, to oczywi-

126

ste. O tąk, ona dobrze znała szatańską moc. Jej własna babka to miała. Potrafiła zapalić ogień na kominku, nawet nie podnosząc się ze swojego fotela na biegunach, stojącego przy oknie. W takich chwilach jej oczy świeciły
(czarownicy żyć nie dozwolisz)
jakimś czarodziejskim światłem. A czasem przy kolacji cukiernica zaczynała nagle obracać się w szaleńczym tempie niczym wirujący derwisz. Wtedy babka chichotała jak opętana, gdakała i śliniła się, i patrzyła złym okiem. Czasem dyszała przy tym jak pies w upalny dzień, a kiedy umarła na atak serca w wieku sześćdziesięciu sześciu lat, była kompletnie zidiociała ze starości. Carrie nie miała nawet roku. Margaret weszła do pokoiku małej, jakieś cztery tygodnie po pogrzebie babki i zobaczyła, że Carrie leży w swoim łóżeczku, śmieje się i gaworzy radośnie, patrząc na butelkę, która podryguje w powietrzu nad jej głową.

Margaret o mało jej wtedy nie zabiła, ale coś ją powstrzymało.

Powinna wówczas ją zabić.

Teraz stała na środku salonu. Chrystus na Górze Kalwarii spoglądał na nią surowym, bolesnym, pełnym wyrzutu wzrokiem. Bawarski zegar z kukułką tykał cicho. Było dziesięć po ósmej. Czuła, dosłownie czuła, jak szatańska moc stopniowo opanowuje Carrie. Pełzała po niej wszędzie, namawiając i popychając do złego, łaskocząc małe paluszki. Ponownie chciała wypełnić swój obowiązek, kiedy Carrie miała trzy latka i przyłapała ją patrzącą na grzech tej diabelskiej dziewki z sąsiedniego podwórka. Ale wtedy spadły kamienie i nie starczyło jej sił. Więc teraz diabelska moc znowu podniosła swój obmierzły łeb, po trzynastu latach. Boga nie oszukasz.

Najpierw krew, potem moc.

(podpisz się pod tym podpisz się krwią)

Teraz chłopiec i tańce, a potem chłopiec weźmie ją do motelu, weźmie ją do samochodu, weźmie ją na tylne siedzenie, weźmie ją...

Krew, świeża krew. Z krwi zawsze brało początek wszelkie zło i tylko krew mogła je odkupić.

Margaret była wysoką, tęgą kobietą o masywnych, muskularnych ramionach, tak potężnych, że łokcie tworzyły ledwie widoczne zagłębienia wśród zwałów mięśni, ale jej głowa na mocnej, żylastej szyi wydawała się zadziwiająco mała. Niegdyś była to piękna twarz. Nadal była piękna w jakiś niesamowity, przerażający sposób – ale oczy miały dziwaczne, rozbiegane spojrzenie, a linie wokół wąskich, zaciętych ust pogłębiły się bezlitośnie. Włosy, przed rokiem jeszcze niemal całkowicie czarne, teraz były prawie zupełnie siwe. Jedyny sposób, żeby zmazać grzech, prawdziwy, czarny grzech, to zmyć go krwią

(ona musi zostać złożona w ofierze)

płynącą ze skruszonego serca. Z pewnością Bóg to rozumiał i dlatego wyznaczył ją do tego zadania. Czy Bóg nie nakazał niegdyś Abrahamowi, żeby zaprowadził w góry swego syna Izaaka?

Szurając nogami w starych, rozczłapanych pantoflach, weszła do kuchni i wysunęła szufladę zawierającą przybory kuchenne. Nóż do mięsa był długi, ostry, nieco wygięty pośrodku od ciągłego ostrzenia. Usiadła przy kuchennym stole na wysokim stołku, odszukała osełkę w aluminiowym garnuszku i zaczęła przesuwać wzdłuż niej lśniące ostrze z apatycznym wyrazem twarzy więźnia niezdolnego oderwać się od jednej monotonnie powtarzanej czynności.

Bawarski zegar z kukułką tykał i tykał, potem kukułka wyskoczyła i odezwała się jeden raz, ogłaszając ósmą trzydzieści.

W ustach czuła smak oliwek.

Najstarsze klasy zapraszają na wiosenny bal '79
27 maja 1979

Muzyka: The Billy Bosman Band
Josie and the Moonglows

Program rozrywkowy

„Cabaret" dyryguje Sandra Stenchfield
„500 Miles"
„Lemon Tree"

128

„Mr Tambourine Man"
Muzyka ludowa w wykonaniu Johna Swithena i Maureen Cowan
„The Street Where You Live"
„Raindrops Keep Fallin' on My Head"
Chór Szkoły im. Ewena
„Bridge Over Troubled Water"

Opiekunowie

Pan Stephens, panna Geer,
państwo Lublin, panna Desjardin

Koronacja o godz. 22.00

Pamiętaj, że to jest Twój bal;
niech to będzie wydarzenie,
którego nie zapomnisz!

Kiedy poprosił ją do tańca po raz trzeci, Carrie musiała się w końcu przyznać, że nie umie tańczyć. Nie dodała, że teraz kiedy rockowy zespół przejął pałeczkę na pół godziny, za nic w świecie nie weszłaby na parkiet. Wstydziłaby się tak kręcić w kółko i to byłby
(grzech)
tak, grzech.

Tommy kiwnął głową i uśmiechnął się. Potem przechylił się do przodu i wyznał jej ściszonym głosem, że nie cierpi tańczyć. Czy nie miałaby ochoty przejść się trochę i odwiedzić inne stoliki? Poczuła drżenie w gardle, ale pokonała je i skinęła głową. Owszem, z przyjemnością. Starał się, żeby się dobrze bawiła. Ona też musi się postarać (nawet jeśli w gruncie rzeczy on tego wcale od niej nie oczekuje); to była część ich umowy. A poza tym urok tego wieczoru już nią owładnął z niespodziewaną mocą. Nagle obudziła się w niej nadzieja, że nikt jej nie podstawi nogi, nie przyczepi ukradkiem do pleców kartki z napisem „Kopcie mnie", nie chluśnie w twarz wodą z flakonu, żeby potem uciekać, krztusząc się ze śmiechu, podczas gdy pozostali będą ją wytykać palcami, śmiać się i gwizdać.

Jeśli działały tu jakieś czary, to nie za sprawą Boga. To były pogańskie czary.

– Carrie? – zapytał jakiś niepewny głos.

Do tego stopnia pogrążyła się w obserwacji parkietu, orkiestry i innych stolików, że nawet nie usłyszała, jak ktoś się do niej zbliża. Tommy poszedł po poncz.

Odwróciła się i zobaczyła pannę Desjardin.

Przez chwilę patrzyły na siebie w milczeniu, a pamięć podsuwała im obrazy

(widziała mnie widziała mnie nagą wrzeszczącą zakrwawioną) które przepływały między nimi w bezsłownym porozumieniu. Wszystko zawierało się w spojrzeniach.

Potem Carrie powiedziała nieśmiało:

– Bardzo ładnie pani dziś wygląda, panno Desjardin.

To była prawda. Panna Desjardin miała na sobie wąską, połyskliwą, srebrzystą sukienkę, doskonale pasującą do jej jasnych, wysoko upiętych włosów, a na szyi prosty naszyjnik. Wyglądała bardzo młodo, wystarczająco młodo, żeby raczej być gościem na balu, niż odgrywać rolę opiekunki.

– Dziękuję ci. – Zawahała się, a potem położyła dłoń w rękawiczce na ramieniu Carrie. – Jesteś piękna – powiedziała, wymawiając te słowa z jakimś szczególnym naciskiem.

Carrie poczuła, że znowu się czerwieni, i wbiła wzrok w blat stolika.

– To strasznie miło z pani strony. Wiem, że nie jestem... tak naprawdę... ale w każdym razie dziękuję.

– To prawda – zapewniła ją panna Desjardin. – Carrie, cokolwiek się wtedy stało... to już zapomniane. Chciałabym, żebyś o tym wiedziała.

– Nie mogę o tym zapomnieć – odparła Carrie. Podniosła wzrok. Na usta cisnęły się jej słowa: nie mam już żalu do nikogo. Ugryzła się w język. To byłoby kłamstwo. Miała żal do nich wszystkich i nigdy im nie wybaczy; a ponad wszystko w świecie pragnęła być uczciwa. – Ale to już się skończyło. Teraz to już się skończyło.

Panna Desjardin uśmiechnęła się. Jej oczy zdawały się chwytać i zatrzymywać migotliwe światła i lśniły własnym łagodnym blaskiem. Popatrzyła na parkiet do tańca, a Carrie podążyła wzrokiem za jej spojrzeniem.

– Pamiętam swój pierwszy bal – powiedziała cicho panna Desjardin. – W pantofelkach na obcasach byłam o dwa cale wyższa od swojego partnera. Podarował mi bukiecik, którego kolor gryzł się z kolorem mojej sukni. W jego samochodzie urwała się rura wydechowa i silnik robił... och, okropny hałas. Ale była w tym jakaś magia, sama nie wiem dlaczego. Już nigdy potem nie miałam takiej randki. – Popatrzyła na Carrie. – Czy ty też tak czujesz?

– Jest bardzo przyjemnie – odparła Carrie.

– I to wszystko?

– Nie. Więcej. Nie potrafiłabym tego wyrazić. Nie mogę o tym nikomu powiedzieć.

Panna Desjardin uśmiechnęła się i uścisnęła jej ramię.

– Nigdy tego nie zapomnisz – powiedziała. – Nigdy.

– Chyba ma pani rację.

– Życzę ci wspaniałej zabawy, Carrie.

– Dziękuję pani.

Tommy, powracający z dwoma papierowymi kubkami ponczu, zdążył jeszcze zobaczyć, jak panna Desjardin odchodzi, kierując się do stolika opiekunów.

– Czego ona chciała? – zapytał, stawiając ostrożnie papierowe kubki na stole.

Carrie, spoglądając w ślad za nią, odpowiedziała:

– Myślę, że chciała mnie przeprosić.

(mamo nie chcę się dłużej trzymać twojej spódnicy jestem już duża)

Chciała, żeby to była prawda.

– Popatrz – powiedział Tommy, kiedy wstali.

Dwóch czy trzech pomocników wysuwało właśnie z bocznego skrzydła trony dla króla i królowej, a główny woźny, pan Lavoie, wymachiwał rękami, wskazując wcześniej zaznaczone miejsce na proscenium. Pomyślała, że wyglądają całkiem jak trony na dworze króla Artura, okryte śnieżnobiałą materią, przybrane prawdziwymi kwiatami i wielkimi flagami z bibułki.

– Są piękne. – Westchnęła.

– To ty jesteś piękna – zaoponował Tommy i nagle poczuła pewność, że tej nocy nie może jej się przydarzyć nic złego – może nawet ona i Tommy zostaną wybrani na króla i królową balu.

Uśmiechnęła się z własnego szalonego pomysłu.

Była dziesiąta.

Sue Snell siedziała w salonie, obrębiając sukienkę i słuchając albumu Jefferson Airplane „Long John Silver". Płyta była stara i okropnie porysowana, ale muzyka działała na nią uspokajająco.

Rodzice wyszli na cały wieczór. Wiedzieli, co się dzieje, była tego pewna, ale oszczędzili jej rozwlekłych przemówień w stylu „jacy to są dumni ze swojej małej dziewczynki" albo „jacy są szczęśliwi, że wreszcie stała się dorosła". Zadowolona była, że zdecydowali się zostawić ją samą, ponieważ w dalszym ciągu doskwierało jej to, że nie była pewna swoich motywów i obawiała się zbyt głęboko w nie wnikać, żeby nie natrafić na pokłady egoizmu prześwitujące spod czarnej, aksamitnej zasłony podświadomości.

Zrobiła to i wystarczy; była zadowolona.

(a jeśli on się w niej zakocha)

Podniosła głowę, jakby nagle usłyszała te słowa wypowiedziane na głos (może ktoś się czai w korytarzu), i niepewny uśmiech wykrzywił jej usta. To by naprawdę było szczęśliwe zakończenie, jak w bajce. Książę pochyla się nad Śpiącą Królewną, dotyka jej ust swoimi wargami.

Sue, nie wiem, jak ci to powiedzieć, ale...

Uśmiech zgasł.

Jej okres się spóźniał. Prawie o tydzień. A zawsze miała okres regularnie jak w zegarku.

Szczęknęło urządzenie do zmieniania płyt i następna płyta opadła na adapter. W nagłej, krótkiej ciszy usłyszała, jak coś się w niej poruszyło. Może tylko dusza.

Była dziewiąta piętnaście.

Billy dojechał do samego końca parkingu i ustawił samochód na wprost asfaltowej rampy prowadzącej na autostradę. Chris zaczęła wysiadać, ale złapał ją i wciągnął z powrotem. Jego oczy lśniły złowrogo w ciemności.

Co jest? zapytała Chris ze złością podszytą niepokojem.

– Włączą radiowęzeł, żeby ogłosić wybór króla i królowej – powiedział Billy. – Potem orkiestra zacznie grać hymn szkoły. To znaczy, że oboje siedzą na tych tronach.

– Wiem. Puszczaj. To boli.

Ścisnął jej nadgarstek jeszcze mocniej i poczuł, jak zgrzytnęły drobne kostki. Sprawiło mu to ponurą satysfakcję. Mimo wszystko nie krzyknęła. Trzymała się całkiem dobrze.

– Słuchaj no. Chcę, żebyś wiedziała, w co się pakujesz. Pociągnij za sznurek, kiedy usłyszysz hymn szkolny. Ciągnij mocno. Na bloczkach będzie trochę luzu, ale nie za dużo. Kiedy poczujesz, że wiadra zlatują, uciekaj. Nie zatrzymuj się, żeby posłuchać krzyków ani pod żadnym innym pozorem. To już nie jest głupi szkolny kawał. To jest przestępstwo kryminalne, wiesz? Jak cię złapią, nie wykręcisz się grzywną. Zamkną cię w więzieniu i wyrzucą klucz.

Jak na niego było to niezwykle długie przemówienie. W odpowiedzi zmierzyła go tylko spojrzeniem pełnym hamowanej złości.

– Kapujesz?

– Tak.

– W porządku. Kiedy wiadra spadną, zaczynam wiać. Jak dobiegnę do samochodu, odjeżdżam. Jeśli zdążysz, możesz jechać ze mną. Jeśli nie, zostawiam cię i odjeżdżam sam. Jeśli cię złapią i będziesz kablować, zabiję cię. Wierzysz mi?

– Tak. Zabieraj swoje śmierdzące łapy.

Puścił ją. Mimowolny posępny uśmiech rozjaśnił mu twarz.

– Okay. Wszystko będzie dobrze.

Wysiedli z samochodu.

Dochodziła dziewiąta trzydzieści.

Vic Mooney, przewodniczący najstarszych klas, przemawiał jowialnie do mikrofonu:

– Dobra, panie i panowie, proszę zająć miejsca. Czas na głosowanie. Będziemy wybierać króla i królową dzisiejszego balu.
– Takie współzawodnictwo to obraza dla kobiet! – krzyknęła Myra Crewes, która najwyraźniej miała nieczyste sumienie.
– I dla mężczyzn! – wrzasnął na to George Dawson. Rozległ się ogólny śmiech. Myra się nie odezwała. Złożyła już swój pokazowy protest.
– Proszę o zajęcie miejsc! – Vic uśmiechał się do mikrofonu, uśmiechał się i czerwienił gwałtownie, obmacując pryszcz na brodzie. Zza jego ramienia sennie wyglądał ogromny wenecki gondolier. – Czas na wybory.

Carrie i Tommy usiedli. Tina Blake i Norma Watson rozdawały odbite na powielaczu arkusze wyborcze; Norma upuściła jeden arkusz na ich stolik i szepnęła:

– Powodzenia! – Kiedy Carrie podniosła go i przestudiowała, szczęka jej opadła.

– Tommy, tu są nasze nazwiska!

– Taak, widziałem – odparł. – We wstępnym głosowaniu poszczególnych kandydatów i ich partnerki wybiera się bez ich wiedzy i zgody. Witamy na pokładzie. Chcesz się wycofać?

Przygryzła usta i spojrzała na niego.

– A ty?

– Jeszcze czego – powiedział wesoło. – Jak cię wybiorą, nie musisz nic robić, tylko siedzisz tam, kiedy grają hymn szkoły, potem odwalasz jeden taniec i machasz berłem, i wyglądasz jak kompletny idiota. Potem robią ci zdjęcie i wklejają do albumu, żeby wszyscy mogli zobaczyć, że wyglądasz jak kompletny idiota.

– Na kogo będziemy głosować? – Spoglądała niepewnie na arkusz i mały ołówek leżący obok jej gondoli ze słodyczami. – To bardziej twoi znajomi niż moi. – Wyrwał jej się zduszony śmiech.

– Tak naprawdę to ja nie mam żadnych znajomych.

Wzruszył ramionami.

– Głosujemy na siebie. Do diabła z fałszywą skromnością.

Roześmiała się głośno i natychmiast zakryła ręką usta. Dźwięk własnego śmiechu był dla niej niemal całkowicie obcy. Szybko, zanim mogła się zastanowić, podkreśliła ich nazwiska, trzecie od góry. Cienki ołówek złamał jej się w ręku. Gwałtownie wciągnęła powietrze. Drzazga zadrapała ją w opuszek palca. Wypłynęła niewielka kropelka krwi.

– Skaleczyłaś się?

– To nic. – Spróbowała się uśmiechnąć, ale nagle okazało się to trudne. Widok krwi napawał ją niesmakiem. Wytarła krew serwetką. – Ale złamałam ołówek, a to była pamiątka. Idiotka ze mnie.

– Masz jeszcze swoją łódkę – pocieszył ją i popchnął gondolę przez stolik w jej kierunku. – Możesz się nią przechwalać. – Coś ją ścisnęło za gardło, aż przestraszyła się, że zaraz się rozpłacze i narobi sobie wstydu. Jakoś się opanowała, ale jej oczy zaczęły podejrzanie błyszczeć. Pochyliła głowę, żeby Tommy tego nie zauważył.

Dla wypełnienia czasu orkiestra grała jakąś prostą melodię, podczas gdy porządkowi z Ochotniczej Służby zbierali poskładane arkusze wyborcze. Następnie arkusze zostały złożone na stole opiekunów przy drzwiach. Vic, pan Stephens i państwo Lublin zajęli się obliczaniem wyników. Panna Geer nadzorowała wszystko, popatrując dookoła ponurym, świdrującym wzrokiem.

Carrie czuła, jak mimo woli ogarnia ją napięcie, jak kurczą jej się mięśnie brzucha i prostują plecy. Mocno trzymała Tommy'ego za rękę. Oczywiście to był absurd. Nikt nie miał zamiaru na nich głosować. Można głosować na rumaka, ale nie wtedy, kiedy jest zaprzężony w jednej parze z oślicą. To będą Frank i Jessica albo Don Farnham i Helen Shyres. Albo... o cholera!

Dwa stosy arkuszy były wyraźnie wyższe od pozostałych. Pan Stephens skończył rozdzielać głosy i cała czwórka zaczęła po kolei przeliczać dwie największe kupki, na oko identyczne. Przysunęli głowy do siebie, konferowali przez chwilę, a potem przeliczyli wszystko jeszcze raz. Pan Stephens kiwnął głową, po raz ostatni wyrównał plik arkuszy, jakby zabierał się do rozdawania kart do pokera, i oddał je Vicowi. Vic ponownie wspiął się na scenę i stanął przed mikrofonem. Orkiestra Billy'ego Bosmana zagrała fanfary. Vic uśmiechnął się nerwowo, odchrząknął do mikrofonu, wzdrygnął się, słysząc przenikliwy pisk zakłóceń, i o mało nie upuścił arkuszy na podłogę, pokrytą grubymi kablami elektrycznymi. Ktoś zachichotał.

– Zdaje się, że mamy problem – powiedział otwarcie Vic. – Pan Lublin mówi, że coś takiego zdarzyło się po raz pierwszy w historii szkoły...

– Jak daleko on sięga pamięcią? – burknął ktoś za Tommym.

– Do tysiąc osiemsetnego roku?

– Mamy twardy orzech do zgryzienia.

Tłum zaszemrał.

– Lecę po swoją sztuczną szczękę! – wrzasnął George Dawson. Rozległy się pojedyncze śmiechy. Vic ponownie o mało nie upuścił arkuszy. Zdobył się na krzywy uśmieszek.

– Sześćdziesiąt trzy głosy na Franka Griera i Jessicę MacLean i sześćdziesiąt trzy głosy na Thomasa Rossa i Carrie White.

Nastąpiła chwila ciszy, po czym niespodziewanie wybuchły gorące brawa. Tommy popatrzył na swoją partnerkę. Miała spuszczoną głowę, jakby ze wstydu. Nagle doznał dziwnego uczucia

(carrie carrie carrie)

takiego samego jak wtedy, kiedy zapraszał ją na bal. Miał wrażenie, że coś obcego porusza się w jego umyśle, wykrzykując bez końca imię Carrie. Jakby...

– Uwaga! – wołał Vic. – Czy mógłbym prosić o chwilę uwagi? – Oklaski ucichły. – Przeprowadzimy dodatkowe głosowanie. Otrzymacie kartki papieru, na które prosimy wpisać wybraną parę.

Z ulgą odszedł od mikrofonu.

Rozdano kartki, pospiesznie oddarte od niewykorzystanych programów balowych. Orkiestra grała, ale nikt nie zwracał na to uwagi; wszyscy rozmawiali w podnieceniu.

– To nie nas oklaskiwali – powiedziała Carrie, podnosząc głowę. Dziwne uczucie (może mu się tylko wydawało) zniknęło. – Na pewno nie nas.

– Może tylko ciebie.

Popatrzyła na niego oniemiała.

– Dlaczego to tyle trwa? – zasyczała mu do ucha. – Słyszałam, jak klaszczą. Może to było to. Jeśli coś spieprzyłeś... – Jutowy sznurek zwisał luźno między nimi, nietknięty od chwili, kiedy Billy wyciągnął go przez wywietrznik na zewnątrz, pomagając sobie śrubokrętem.

– Nie martw się – powiedział spokojnie. – Zagrają hymn szkoły. Zawsze tak robią.

– Ale...

– Zamknij się. Za dużo trzaskasz dziobem. – Koniec jego papierosa rozżarzył się w ciemnościach.

Zamknęła się. Ale

(och kiedy już będzie po wszystkim dostaniesz za swoje kolego sam dzisiaj pójdziesz do łóżka)

w duchu z wściekłością przeżuwała jego słowa, zapamiętując je na później. Nikt nigdy nie odzywał się do niej w ten sposób. Jej ojciec jest adwokatem.

Była za siedem minut dziesiąta.

Tommy, ściskając w ręku złamany ołówek, zabierał się już do wypisywania nazwisk, kiedy Carrie lekko, nieśmiało dotknęła jego ramienia.

– Nie...

– Co mówisz?

– Nie wpisuj naszych nazwisk – wykrztusiła w końcu. Podniósł kpiąco brwi.

– Dlaczego nie? Ziarnko do ziarnka i zbierze się miarka, jak mawia moja matka.

(matka)

Od razu pojawił się jej przed oczami obraz matki, mamroczącej bez końca modlitwy do swego potężnego, monumentalnego, bezpostaciowego Boga, kroczącego przez ulice z mieczem ognistym w dłoni. Zalała ją czarna fala strachu; ze wszystkich sił walczyła, żeby stawić jej opór. Nie potrafiła powiedzieć, dlaczego nagle owładnęło nią straszliwe przeczucie jakiegoś koszmaru. Mogła tylko uśmiechnąć się bezsilnie i powtórzyć:

– Nie. Proszę.

Porządkowi z Ochotniczej Służby już wracali, zbierając poskładane kartki. Tommy zawahał się przez chwilę, a potem nagle się zdecydował i nabazgrał na zmiętym świstku papieru: „Tommy i Carrie".

– To dla ciebie – powiedział. – Dzisiaj jest twój wieczór.

Nie potrafiła zdobyć się na odpowiedź. Straszliwe przeczucie zawładnęło nią bez reszty; przed oczami miała twarz matki.

Ostrze ześliznęło się z osełki i natychmiast rozcięło głęboko jej dłoń poniżej kciuka. Popatrzyła na rozcięcie. Otwarta rana powoli wypełniała się gęstą krwią, która spływała z dłoni i kapała na wytarte linoleum pokrywające podłogę kuchni. To dobrze. To bardzo dobrze. Ostrze wypiło krew i poznało smak ciała. Nie zabandażowała skaleczenia, tylko przechyliła rękę nad nożem, pozwalając, żeby ciemne krople skapywały na klingę lśniącą oślepiającym blaskiem, a potem znowu zaczęła ostrzyć nóż, nie zważając na to, że krew plami jej sukienkę. Jeśli obrazi cię twoja prawa źrenica, wykłuj ją.

Słowa Pisma Świętego były surowe, zarazem jednak słodkie i kojące. Odpowiednie słowa dla tych, którzy kryją się w mrocznych korytarzach podejrzanych hotelików i w gęstych krzakach porastających ustronne miejsca.

Wykłuj ją.

(och i ta sprośna muzyka której słuchają)

Wykłuj ją.

(dziewczęta wystawiające na pokaz swoje ciało grzeją się jak suki i ten zapach krwi)

Wykłuj!

Zegar z kukułką zaczął wybijać dziesiątą i

(wypruć z niej wnętrzności)

jeśli obrazi cię twoja prawa źrenica, wykłuj ją.

Sukienka była gotowa i Sue nie miała już czym się zająć. Nie mogła oglądać telewizji ani się uczyć, ani zadzwonić do Nancy. Nie było nic do roboty poza siedzeniem na kanapie i wpatrywaniem się w ciemność za oknem. Siedząc tak, czuła, jak narasta w niej jakiś nieokreślony strach, jakby za chwilę miało się wydarzyć coś złego. Westchnęła i z roztargnieniem zaczęła rozcierać ramiona pokryte gęsią skórką. Zegar wskazywał dwanaście po dziesiątej i nie było żadnego powodu, naprawdę żadnego powodu, żeby mieć takie uczucie, jak gdyby świat się kończył.

Tym razem stosiki były wyższe, ale nadal wyglądały dokładnie tak samo. Ponownie zostały trzykrotnie przeliczone dla pewności. Potem Vic Mooney jeszcze raz podszedł do mikrofonu. Przez chwilę milczał, napawając się atmosferą oczekiwania, a następnie oznajmił bez żadnych ozdobników:

– Zwyciężyli Tommy i Carrie. Jednym głosem.

Zapadła martwa cisza. Potem salę wypełniły oklaski, chwilami brzmiące nieco szyderczo. Zaskoczona Carrie gwałtownie wciągnęła powietrze przez zęby, a Tommy znowu poczuł (ale tym razem tylko przez sekundę) ten niesamowity zawrót głowy

(carrie carrie carrie carrie)

który jak gdyby wymazywał z jego umysłu wszystko poza imieniem i obrazem tej dziwnej dziewczyny siedzącej naprzeciwko. Przez mgnienie oka czuł obezwładniające przerażenie.

Coś z brzękiem spadło na podłogę i w tej samej chwili świeca stojąca między nimi na stole zgasła z pyknięciem.

A potem Josie and the Moonglows zagrali rockową wersję „Pomp and Circumstance", obok ich stolika jak spod ziemi wyrośli porządkowi (wszystko to było skrupulatnie wyliczone w czasie przez pannę Geer, która – jak głosiła fama – pasy darła z leniwych i powolnych porządkowych), Tommy'emu wetknięto w rękę berło oklejone srebrną folią, Carrie narzucono na ramiona płaszcz z wielkim futrzanym kołnierzem i oboje zostali poprowadzeni środkiem sali przez dziewczynę i chłopca w białych blezerach. Muzyka grzmiała. Publiczność biła brawo. Panna Geer nadzorowała całość. Tommy Ross uśmiechał się bezmyślnie.

Eskortowani przez porządkowych wspięli się po schodkach na proscenium, podeszli do tronów i usiedli. Oklaski jeszcze się wzmogły. Jeśli nawet przedtem brzmiała w nich szydercza nuta, to teraz znikła; były gorące i szczere, i trochę przerażające. Carrie usiadła z ulgą. To wszystko działo się zbyt szybko. Nogi się pod nią ugięły i mimo że jej sukienka miała stosunkowo niewielki dekolt, nagle odniosła wrażenie, że jej piersi

(zleciało)

są całkiem nagie. Grzmot oklasków w uszach przyprawiał ją o zawrót głowy, jakby się upiła ponczem. Jakaś część jej istoty była przekonana, że to wszystko jest snem, z którego obudzi się z mieszanymi uczuciami żalu i wstydu.

Vic grzmiał do mikrofonu:

– Król i królowa wiosennego balu rocznik siedemdziesiąt dziewięć... Tommy Ross i Carrie White!!!

Kolejny wybuch oklasków, hucznych, wezbranych, pełnych zapału. Teraz, w ostatnich chwilach swojego życia, Tommy wziął Carrie za rękę i uśmiechnął się do niej, myśląc, że Sue miała całkowitą rację. Carrie z wysiłkiem odwzajemniła ten uśmiech.

Tommy

(miała rację i kocham ją ale kocham także tę drugą tę carrie ona jest piękna i kocham je obie ten blask ten blask w jej oczach) i Carrie

(nie widzę ich światła są za jasne słyszę ich ale nie widzę prysznic pamiętam prysznic o mamo to za wysoko chciałabym już zejść na dół o czy oni się ze mnie śmieją czy zaraz zaczną we mnie rzucać pokazywać palcami wrzeszczeć i gwizdać nie widzę ich nic nie widzę za jasno) i belka nad ich głowami.

Obie orkiestry, połączywszy swoje siły w nieoczekiwanie harmonijnym współbrzmieniu rocka i big-bandu, z rozmachem zaintonowały hymn szkoły. Publiczność wstała i nadal klaszcząc, zaczęła śpiewać.

Było siedem po dziesiątej.

Billy rozprostował nogi, aż coś trzasnęło mu w kolanach.

Chris Hargensen stała obok niego, zdradzając coraz wyraźniejsze oznaki zdenerwowania. Jej ręce błądziły bezwiednie po szwach dżinsów, które miała na sobie, i przez cały czas niemal do krwi przygryzała zębami dolną wargę.

– Uważasz, że będą głosować na nich? – zapytał Billy po cichu.

– Będą – zapewniła go. – Ustawiłam ich jak trzeba. Dlaczego ciągle klaszczą? Co tam się dzieje?

– Mnie się nie pytaj, mała, ja...

Nagle zagrzmiał hymn szkoły, rozbrzmiewając czysto i donośnie w ciepłym majowym powietrzu. Chris podskoczyła jak oparzona. Wyrwał jej się cichy okrzyk zaskoczenia.

Niech głośno szkolna popłynie pieeeśń...

– No, zaczynaj – mruknął Billy. – Już czas. – Jego oczy słabo połyskiwały w mroku. Na twarzy błąkał mu się dziwaczny półuśmiech.

Chris oblizała wargi. Oboje popatrzyli na jutowy sznurek.

Sztandary nasze ku niebu wznieeeś...

– Zamknij się – szepnęła. Cała się trzęsła i Billy pomyślał, że jej ciało nigdy jeszcze nie wyglądało tak podniecająco. Kiedy będzie po wszystkim, weźmie ją do hotelu i tak jej dogodzi, jak jeszcze nikt przedtem. Będzie ją rżnął na okrągło przez całą noc.

– No co, mała, pękasz? – Pochylił się do przodu. – Ja tego za ciebie nie zrobię, mała. Ja mogę tu stać do usranej śmierci.

Dumnie powiewa czerwień i bieeel...

Z nagłym, zdławionym okrzykiem pochyliła się, złapała sznurek obiema rękami i pociągnęła z całej siły. Przez chwilę nie czuła żadnego oporu i już zaczęła myśleć, że Billy przez cały czas ją nabierał, że sznurek nie był do niczego przywiązany. Potem linka wyprężyła się, stawiła opór i wyrwała jej się z rąk, boleśnie ocierając skórę.

– Co... – zaczęła.

Melodia przerodziła się nagle w zgiełkliwą kakofonię i zamarła. Przez chwilę pomieszane głosy kontynuowały pieśń i stopniowo umilkły. Zapadła przerażająca cisza. Potem ktoś krzyknął. Znowu cisza.

Popatrzyli na siebie w ciemnościach, zmrożeni przez świadomość tego, co w końcu uczynili. Chris poczuła, że lodowata obręcz ściska jej gardło.

Na sali rozległy się śmiechy.

Była dziesiąta dwadzieścia pięć i uczucie strachu z każdą minutą stawało się gorsze. Sue stała przy kuchence gazowej, czekając, aż mleko się zagotuje, żeby wsypać kakao. Dwukrotnie wchodziła na górę i zaczynała się rozbierać do snu i dwukrotnie rezygnowała. Jakaś niewytłumaczalna siła ciągnęła ją do okna kuchennego, które wychodziło na Brickham Hill i wijącą się spiralnie szosę nr 6, prowadzącą do miasta.

Kiedy w końcu syrena umieszczona na szczycie ratusza na Main Street zaczęła przenikliwym, panicznie wznoszącym się i opadającym zawodzeniem rozdzierać nocną ciszę, Sue spokojnie wyłączyła gaz, żeby mleko nie wykipiało, i dopiero potem odwróciła się do okna.

Syrena miejska odzywała się codziennie w samo południe, a poza tym milczała, chyba że trzeba było zwoływać ochotniczą straż pożarną w sezonie pożarów traw, przypadającym na sierpień i wrzesień. Używana była tylko w razie alarmu. W pustym domu jej przerażający lament wydawał się żywcem wzięty ze złego snu.

Bez pośpiechu podeszła do okna. Jęk syreny wznosił się i opadał, wznosił się i opadał. Gdzieś w oddali roztrąbiły się klaksony, jakby przejeżdżał orszak weselny. W ciemnej szybie widziała swoje odbicie – otwarte usta, rozszerzone oczy – dopóki ciepło oddechu nie zasnuło go parą.

Obudziło się w niej częściowo zatarte wspomnienie. W szkole podstawowej brali udział w ćwiczeniach obrony przeciwlotniczej. Kiedy nauczycielka klasnęła w dłonie i ogłosiła „Alarm!", trzeba było wczołgać się pod ławkę, osłonić głowę rękami i czekać, dopóki nalot nie zostanie odwołany albo dopóki pociski wroga nie spalą cię na popiół. Teraz ponownie z całą wyrazistością

(alarm)

usłyszała to słowo, czepiające się natrętnie jej myśli.

Daleko w dole, po lewej stronie, tam gdzie znajdował się szkolny parking – który dzięki rzędom neonowych lamp stanowił niezawodny punkt orientacyjny w ciemnościach, chociaż sam budynek szkolny był niewidoczny – coś błysnęło, jakby to Bóg skrzesał iskrę. (to tam gdzie są zbiorniki z olejem) Iskierka zadrżała i rozkwitła pomarańczowym płomieniem. Teraz już było widać szkołę. Płonęła. Biegła do szafy po płaszcz, kiedy pierwsza głucha, potężna eksplozja wstrząsnęła całym domem. Podłoga zadygotała. W kredensie zabrzęczały porcelanowe filiżanki.

Norma Watson, *Przeżyliśmy Noc Zagłady* (fragment opublikowany w „The Reader's Digest" w sierpniu 1980 roku pod tym tytułem):
...i to wszystko stało się tak szybko, że nikt nie zdawał sobie sprawy, co się dzieje. Wszyscy wstali, bili brawo i śpiewali hymn szkoły. Potem – stałam obok stolika porządkowych zaraz przy głównym wejściu, naprzeciwko sceny – coś błysnęło, kiedy światła nad proscenium odbiły się od jakichś metalowych przedmiotów. Obok mnie stały Tina Blake i Stella Horan; myślę, że one również to zobaczyły.

I nagle z góry chlusnęła fontanna czerwieni. Ochlapała malowidło, spływała po nim strumieniami. Wiedziałam od razu, zanim jeszcze ich dosięgła, że to była krew. Stella Horan myślała, że to farba, ale ja miałam jakieś przeczucie, zupełnie jak wtedy, kiedy mój brat wpadł pod ciężarówkę z sianem.

Byli przemoczeni do suchej nitki. Najgorzej dostało się Carrie. Wyglądała, jakby ją zanurzono w wiadrze z czerwoną farbą. Siedziała bez ruchu. Ani drgnęła. Dostało się również orkiestrze, która znajdowała się najbliżej sceny, Josie and the Moonglows. Jeden z nich miał białą gitarę i ta gitara była cała zachlapana na czerwono.

– O Boże, to krew! – mówię.

Kiedy to powiedziałam, Tina krzyknęła. Krzyknęła bardzo głośno, aż po sali poszło echo.

Ludzie przestali śpiewać i zrobiło się zupełnie cicho. Nie mogłam się ruszyć. Byłam wstrząśnięta do głębi. Popatrzyłam w górę. Wysoko nad tronami wisiały dwa wiadra. Kołysały się i obijały o siebie. Ciągle jeszcze kapała z nich krew. I nagle zleciały, pociągając za sobą luźny sznur. Jedno uderzyło Tommy'ego Rossa w głowę. Huknęło bardzo głośno, jak gong.

Wtedy ktoś się roześmiał. Nie wiem, kto to był, ale to nie był taki śmiech jak na widok czegoś zabawnego. To był okropny, histeryczny śmiech. Aż ciarki przeszły po grzbiecie.

W tej samej chwili Carrie szeroko otworzyła oczy. To właśnie wtedy wszyscy zaczęli się śmiać. Ja też się śmiałam, Boże mi odpuść. To wszystko było takie... niesamowite.

Kiedy byłam małą dziewczynką, miałam taką książeczkę Walta Disneya pod tytułem „Pieśń Południa" i była w niej historyjka Wuja Remusa o smolarczyku. Na obrazku smolarczyk siedział na środku drogi i wyglądał jak jeden z tych dawnych murzyńskich śpiewaków, z czarną twarzą i wielkimi białymi oczami. Kiedy Carrie otworzyła oczy, wyglądała identycznie. Była całkiem czerwona, tylko oczy zostały białe. Światło odbijało się w nich, jakby były ze szkła. Przebacz mi, Boże, ale wyglądała zupełnie jak Eddie Cantor*, kiedy po swojemu wytrzeszcza oczy.

To dlatego wszyscy zaczęli się śmiać. Nie mogliśmy się powstrzymać. To była jedna z tych sytuacji, kiedy człowiek albo się śmieje, albo dostaje obłędu. Carrie od tak dawna była pośmiewiskiem, dlatego wszyscy czuliśmy, że dziś wieczór uczestniczymy w czymś specjalnym. Widzieliśmy, jak nieszczęśliwa, pogardzana istota staje się na powrót człowiekiem, i ja przynajmniej dziękowałam za to Bogu. A potem stało się to. Ta okropność.

I nic nie można było na to poradzić. Trzeba było albo się śmiać, albo płakać, a któż miałby płakać nad Carrie po tych wszystkich latach?

Siedziała i tylko patrzyła na nich, a oni śmiali się coraz głośniej. Zginali się wpół i łapali za brzuchy, i pokazywali ją sobie palcami. Tylko Tommy na nią nie patrzył. Osunął się do tyłu, na oparcie tronu, jakby zasnął. Ale nie było widać, czy jest ranny, bo cały był pokryty krwią.

A potem jej twarz... jakby pękła. Nie wiem, jak to inaczej opisać. Podniosła ręce do twarzy i zataczając się, wstała z krzesła. Zaplątała się we własne nogi i upadła, a wtedy ludzie jeszcze głośniej

---

* Eddie Cantor (1892–1964) – amerykański komik filmowy.

zaczęli się śmiać. Potem jakby... zeskoczyła czy sturlała się ze sceny. Wyglądała jak wielka czerwona żaba zeskakująca z liścia nenufaru. Znowu o mało nie upadła, ale utrzymała się na nogach. Panna Desjardin przestała się śmiać i podbiegła do niej z wyciągniętymi rękami. Ale nie dobiegła. Nagle skręciła i wpadła na ścianę obok sceny. To było całkiem niepojęte. Nie potknęła się ani nic w tym rodzaju. Wyglądało to tak, jak gdyby ktoś ją popchnął, ale przecież nikogo przy niej nie było.

Carrie rzuciła się biegiem przez tłum, zakrywając rękami twarz, i ktoś jej podstawił nogę. Nie wiem, kto to był, ale Carrie rozciągnęła się jak długa na podłodze i z rozpędu pojechała do przodu, zostawiając za sobą szeroką, czerwoną smugę krwi. Zawołała: „Oj!". Pamiętam to. Jeszcze bardziej zaczęłam się śmiać, jak usłyszałam, że Carrie mówi: „Oj". Przez chwilę czołgała się po podłodze, w końcu podniosła się i pobiegła dalej. Minęła mnie tak blisko, że poczułam zapach krwi. Śmierdziała jak zepsute mięso.

Zbiegła na dół po schodach, biorąc po dwa stopnie naraz, i znikła za drzwiami.

Śmiech jakby trochę się uspokoił. Niektórzy pociągali nosem. Lennie Brock wyjął wielką białą chustkę i wycierał sobie oczy. Sally McManus była biała jak prześcieradło, jakby miała zemdleć, ale ciągle chichotała i nie mogła przestać. Billy Bosman stał bez ruchu ze swoją batutą w ręku i tylko potrząsał głową. Pan Lublin siedział obok panny Desjardin i wołał, żeby ktoś mu przyniósł ligniny. Pannie Desjardin krew leciała z nosa. Musicie zrozumieć, że to wszystko trwało najwyżej dwie minuty. Nikt jeszcze nie zdążył się pozbierać, wszyscy byli jak ogłuszeni. Niektórzy próbowali coś powiedzieć, ale nie mogli znaleźć słów. Helen Shyres wybuchła płaczem, a wtedy parę innych dziewcząt też się rozpłakało. Potem ktoś krzyknął:

– Wezwijcie lekarza! Hej, wezwijcie lekarza, szybko!

To był Josie Vreck. Wspiął się na scenę i klęknął obok Tommy'ego Rossa, a jego twarz była biała jak papier. Próbował go podnieść, ale tron się przewrócił i Tommy upadł na ziemię.

Nikt się nie poruszył. Wszyscy tylko patrzyli. Wydawało mi się, że się zamieniam w lód. Mogłam tylko powtarzać w duchu: O Boże, o Boże, o Boże. A potem w moje myśli coś się wdarło i to było tak, jakbym to nie ja myślała, ale jakaś inna osoba. Pomyślałam o Carrie. I o Bogu. Wszystko mi się pomieszało i to było okropne.

Stella popatrzyła na mnie i powiedziała:

– Carrie wróciła.

A ja odparłam:

– Tak, masz rację.

Wszystkie drzwi na korytarz jednocześnie zatrzasnęły się z hukiem. Zabrzmiało to tak, jakby ktoś klasnął w ręce. Ktoś z tyłu krzyknął. To zapoczątkowało panikę. Ludzie rzucili się w popłochu do drzwi. Zostałam na miejscu i tylko patrzyłam, nie wierząc własnym oczom. A kiedy tak patrzyłam, zobaczyłam – na chwilę przed tym, zanim pierwsi ludzie dobiegli do drzwi i zaczęli je szarpać – że Carrie zagląda do środka. Twarz miała wysmarowaną jak Indianin na ścieżce wojennej.

Uśmiechała się.

Ludzie dobijali się do drzwi, walili w nie pięściami, ale drzwi ani drgnęły. Robił się coraz większy ścisk; widziałam, jak ci z przodu byli bezlitośnie spychani na boki wśród krzyków i jęków. Drzwi nie chciały się otworzyć, a przecież te drzwi nigdy nie są zamykane na klucz. To jeden z przepisów stanowych.

Ludzie tłoczyli się w panice jak stado bydła. Pan Stephens i pan Lublin przedarli się przez tłum i zaczęli odciągać ich do tyłu, łapiąc za marynarki, za suknie, za co popadnie. Pan Stephens dał kilku dziewczynom po twarzy i podbił oko Vickowi Mooneyowi. Krzyczał na nich, żeby uciekali od tyłu wyjściem awaryjnym. Niektórzy go posłuchali i ci przeżyli.

I wtedy zaczął padać deszcz... przynajmniej z początku tak myślałam. W całej sali z sufitu leciała woda. Popatrzyłam w górę i zobaczyłam, że wszystkie tryskacze są odkręcone. Woda zalewała boisko do koszykówki i rozpryskiwała się dookoła. Josie Vreck wrzasnął na swoich chłopców z zespołu, żeby powyłączali z sieci wzmacniacze i mikrofony, ale wszyscy uciekli. Josie zeskoczył ze sceny. Panika przy drzwiach w końcu się uspokoiła. Ludzie wracali, popatrując na sufit. Usłyszałam, jak ktoś – chyba Don Farnham – mówi:

– To całkiem zniszczy boisko do koszykówki.

Kilka osób podeszło, żeby popatrzeć na Tommy'ego Rossa. Nagle poczułam, że muszę się stąd wydostać. Chwyciłam Tinę Blake za rękę i zawołałam:

– Uciekajmy! Szybko!

Żeby dostać się do drzwi awaryjnych, należało przejść krótkim korytarzem na lewo od sceny. Tam również znajdowały się tryskacze, ale nie były odkręcone. Drzwi stały otworem – widziałam, jak wybiega przez nie kilka osób. Ale większość ludzi po prostu stała dookoła w niewielkich grupkach, zerkając na siebie niepewnie. Niektórzy patrzyli na smugę krwi na podłodze w miejscu, gdzie Carrie się przewróciła. Woda już prawie zmyła plamy.

Wzięłam Tinę za rękę i zaczęłam ją ciągnąć do drzwi z napisem: „Wyjście". W tej samej chwili zobaczyłam jaskrawy błysk i usłyszałam krzyk oraz przeraźliwy pisk zakłóceń. Rozejrzałam się i zobaczyłam Josiego Vrecka, jak przytrzymywał się rękami mikrofonu. Nie mógł się od niego oderwać. Oczy wylazły mu na wierzch, włosy stanęły dęba; cały się skręcał, jakby tańczył. Stopy ślizgały mu się po mokrej podłodze. Koszula zaczęła dymić.

W końcu przewrócił się na jeden ze wzmacniaczy – to były wielkie wzmacniacze, wysokie na pięć czy sześć stóp – i wzmacniacz wpadł do wody. Zakłócenia przerodziły się w przeszywający hałas, który dosłownie rozdzierał uszy; potem znowu błysnęło, zaskwierczało i zapadła cisza. Koszula Josiego zaczęła się palić.

– Uciekajmy! – krzyknęła Tina. – Chodź, Norma! Proszę!

Pobiegłyśmy korytarzem. Z tyłu sceny coś eksplodowało – to chyba przepaliły się wszystkie bezpieczniki. Obejrzałam się tylko na chwilę. Z naszego miejsca widać było scenę i ciało Tommy'ego, ponieważ kurtyna była podniesiona. Wszystkie ciężkie elektryczne kable tańczyły w powietrzu, wyginając się i skręcając jak węże zaklinane przez fakira. Potem jeden z nich rozdzielił się na dwoje. Zobaczyłam fioletowy błysk, kiedy wpadł do wody, i wszyscy nagle zaczęli krzyczeć.

Potem znalazłyśmy się za drzwiami i pobiegłyśmy przez parking. Chyba krzyczałam. Nie pamiętam dokładnie. Nie pamiętam nic od momentu, kiedy tamci zaczęli krzyczeć. Odkąd te przewody pod napięciem upadły na zalaną wodą podłogę...

Dla Tommy'ego Rossa, lat osiemnaście, koniec przyszedł szybko i miłosiernie, niemal bezboleśnie.

Nie zdawał sobie sprawy, że dzieje się coś ważnego. Usłyszał metaliczny brzęk, który natychmiast skojarzył sobie

(niosą wiadra z mlekiem)

ze wspomnieniem dzieciństwa na farmie wujka Galena, a potem

(ktoś coś upuścił)

z zespołem rockowym. Pochwycił wzrok Josiego Vrecka wpatrującego się w coś ponad jego głową
(co ja tam mam aureolę czy co)
i w następnej chwili spadło mu na głowę wiadro, w jednej czwartej jeszcze wypełnione krwią. Wystająca krawędź otaczająca dno uderzyła go w wierzch głowy i
(oj to boli)
szybko stracił przytomność. Wciąż jeszcze leżał rozciągnięty bezwładnie na scenie, kiedy sprzęt zespołu Josie and the Moonglows stanął w płomieniach. Potem ogień objął malowidło przedstawiające weneckiego gondoliera i przerzucił się na stosy starych ubrań, książek i papierów, spiętrzone za sceną i powyżej, w nadsceniu. Kiedy pół godziny później eksplodował zbiornik oleju, Tommy już nie żył.

Telegram nadesłany do Associated Press, Nowa Anglia, o godzinie 22.46:
Chamberlain, Maine (AP)
W Szkole Średniej im. Ewena wybuchł pożar. Ognia nie udało się ugasić. W chwili wybuchu pożaru, wywołanego najprawdopodobniej przez instalację elektryczną, w szkole odbywała się zabawa taneczna. Świadkowie podają, że system tryskaczy w budynku szkolnym został bez ostrzeżenia uruchomiony, powodując krótkie spięcie w sprzęcie elektrycznym zespołu rockowego. Kilku świadków informuje również o zniszczeniu głównych kabli zasilania. Należy przypuszczać, że co najmniej sto dziesięć osób zostało uwięzionych w szkolnej sali gimnastycznej, w której wybuchł pożar. Ekipy straży pożarnej z sąsiednich miejscowości, jak Westover, Motton i Lewiston, zostały wezwane na pomoc i w chwili obecnej znajdują się lub wkrótce będą się znajdować w drodze do miejsca wypadku. Jak dotąd nie zgłoszono ofiar w ludziach. Koniec. 22.46 27 maja 6004D AP

Telegram nadesłany do Associated Press, Nowa Anglia, o godzinie 23.22:
Pilne
Chamberlain, Maine (AP)
W niewielkiej miejscowości Chamberlain potężna eksplozja zniszczyła szkołę średnią im. Thomasa Ewena. Trzy miejskie wozy stra-

żackie, wysłane w celu ugaszenia pożaru, który wybuchł na sali gimnastycznej, gdzie odbywał się szkolny bal, przybyły za późno. Wszystkie hydranty przeciwpożarowe w okolicy zostały zniszczone. Ciśnienie wody w miejskiej sieci wodociągowej na obszarze od Spring Street do Grass Plaza spadło do zera. Jeden ze strażaków powiedział: „Z tych cholernych hydrantów pozrywało pokrywy, woda musiała z nich sikać fontanną, podczas gdy te dzieciaki paliły się żywcem". Jak dotąd odnaleziono trzy ciała. Jedno z nich zidentyfikowano jako zwłoki Thomasa A. Mearsa, miejskiego strażaka. Dwa pozostałe to najprawdopodobniej uczestnicy balu. Ponadto trzech strażaków odtransportowano do szpitala w Motton z poważnymi poparzeniami i objawami zaczadzenia. Należy przypuszczać, że eksplozja nastąpiła wówczas, kiedy ogień dotarł do zbiorników benzyny i oleju, usytuowanych w pobliżu sali gimnastycznej. Pożar wywołany został najprawdopodobniej przez nie w pełni izolowany sprzęt elektryczny zespołu rockowego w następstwie awarii systemu tryskaczy w budynku szkoły. Koniec. 23.22 27 maja 70119E AP

Sue nie miała jeszcze prawa jazdy, ale mimo to złapała kluczyki od matczynego samochodu z haczyka obok lodówki i pobiegła do garażu. Zegar kuchenny wskazywał dokładnie 23.00.

Przy pierwszej próbie zalała świece. Zmusiła się, żeby odczekać chwilę, zanim spróbowała ponownie. Tym razem motor zakrztusił się i zaskoczył. Z rykiem silnika wyjechała z garażu tyłem, na oślep, zawadziwszy jednym zderzakiem. Gwałtownie zakręciła kierownicą, aż tylne koła zabuksowały na żwirze. Plymouth z 1977 roku zataczał się po drodze jak pijany, niemal przyprawiając ją o mdłości. Dopiero teraz zdała sobie sprawę, że przez cały czas pojękuje i skomli jak zwierzę w pułapce.

Zignorowała znak stopu umieszczony na skrzyżowaniu szosy nr 6 i Back Chamberlain Road. Ze wschodu, gdzie Chamberlain graniczyło z Westover, i z południa, od strony Motton, dochodziło wycie syren strażackich.

Dojechała niemal do podnóża wzniesienia, kiedy budynki szkolne eksplodowały.

Gwałtownie wcisnęła hamulec i poleciała bezwładnie na kierownicę jak szmaciana lalka. Opony zapiszczały na nawierzchni. Jakoś zdołała namacać klamkę i otworzyć drzwi. Wysiadła i stanęła obok samochodu, przysłaniając rękami oczy przed blaskiem.

Słup ognia wystrzelił w niebo, unosząc ze sobą fragmenty potrzaskanych blach stanowiących pokrycie dachu, kawałki drewna i strzępki papieru. Nad nim unosił się ciężki, tłusty dym. Cała Main Street na mgnienie oka jakby została oświetlona fleszem. W tym przerażającym ułamku sekundy Sue zobaczyła, że skrzydło mieszczące salę gimnastyczną zamieniło się w jedną płonącą ruinę.

W chwilę później impet odrzucił ją do tyłu. Jakieś śmieci porwane podmuchem przeleciały obok niej w gwałtownym pędzie. W twarz uderzyła ją fala gorąca, przypominając jej przelotnie (zapach jak w metrze) wycieczkę do Bostonu sprzed roku. Szyby w oknach drugstore'u Billa i Kelly Fruit Company zabrzęczały i wpadły do środka.

Przewróciła się na bok. Ogień oświetlał całą ulicę piekielnym blaskiem. Potem wszystko zaczęło się dziać jak na zwolnionym filmie, podczas gdy jej umysł wytrwale porządkował fakty (nie żyją czy oni wszyscy nie żyją carrie dlaczego myślę o carrie) w jakimś zakamarku pamięci. Ulicą nadjeżdżały samochody, z różnych stron nadbiegali ludzie w nocnych koszulach, piżamach, szlafrokach. Z frontowych drzwi budynku mieszczącego posterunek policji i sąd miasta Chamberlain wyszedł mężczyzna. Poruszał się powoli. Samochody też się poruszały powoli. Nawet biegnący ludzie poruszali się powoli.

Zobaczyła, że mężczyzna na stopniach posterunku policji osłania usta rękami i coś krzyczy, ale jego słowa zagłuszało wycie strażackich wozów, zawodzenie miejskiej syreny i donośny huk ognia. Brzmiało to jak:

– Hej, ty tam! Uważaj, durniu!

Ulica była zalana wodą aż do stacji benzynowej Teddy'ego Amoco. W wodzie odbijały się tańczące płomienie.

– Hej, tam jest...

A potem świat eksplodował.

Fragment zaprzysiężonego zeznania Thomasa A. Quillana złożonego przed Komisją Śledczą Stanu Maine w związku z wypadkami, do których doszło w nocy z 27 na 28 maja w Chamberlain, Maine (poniższa skrócona wersja pochodzi z książki *Noc Zagłady: raport Białej Komisji*, Signet Books, Nowy Jork 1980).

Pytanie: Panie Quillan, czy mieszka pan na stałe w Chamberlain?

Odpowiedź: Tak.

P: Czy może nam pan podać swój adres?

O: Mam pokój nad salą bilardową tam, gdzie pracuję. Zamiatam podłogę, sprzątam ze stołów, obsługuję automaty – wie pan, automaty do gry.

P: Gdzie pan był wieczorem dwudziestego siódmego maja o godzinie dwudziestej drugiej trzydzieści?

O: No... tak naprawdę to byłem zamknięty w celi na posterunku policji. Widzi pan, zawsze dostaję wypłatę w czwartki. Potem wychodzę na miasto, żeby się trochę zabawić. Poszedłem do „The Cavalier", wypiłem parę piw, pograłem w pokera na zapleczu. Ale ze mną jest taki kłopot, że zawsze zaczynam rozrabiać, jak sobie popiję. Wszystko zaczyna mi kołować przed oczami. Śmieszne, no nie? Kiedyś rozwaliłem jednemu gościowi głowę krzesłem i wtedy...

P: Czy miał pan w zwyczaju udawać się na posterunek policji za każdym razem, kiedy ogarniał pana ten nastrój?

O: Jasne. Duży Otis to mój przyjaciel.

P: Czy ma pan na myśli Otisa Doyle'a, szeryfa tego okręgu?

O: Jasne. Powiedział mi, żebym zawsze wpadał, kiedy przyjdzie mi ochota narozrabiać. Poprzedniego dnia przed balem grałem w pokera z kumplami w „The Cavalier" i po jakimś czasie zaczęło mi się zdawać, że Szybki Marcel Dubay oszukuje. Gdybym był trzeźwy, miałbym lepsze rozeznanie – wie pan, jak Francuz chce wykręcić jakiś numer, to patrzy w swoje karty – ale wypiłem trochę i zaczęło mnie ponosić. Wiedziałem, że muszę trzymać ręce przy sobie, no więc poszedłem na posterunek. Plessy miał dyżur i zamknął mnie jak należy w celi aresztanckiej numer jeden. Dobry chłopak ten Plessy. Znałem jego matkę, ale to już dawno temu.

P: Panie Quillan, czy moglibyśmy wrócić do tego, co się wydarzyło w nocy dwudziestego siódmego o dwudziestej drugiej trzydzieści?

O: Chyba cały czas o tym mówię, no nie?

P: Mam szczerą nadzieję. Proszę kontynuować.

O: No więc Plessy zamknął mnie w piątek nad ranem, gdzieś za piętnaście druga, i od razu walnąłem się spać. Można powiedzieć, że przestałem kontaktować. Obudziłem się około czwartej po południu, wziąłem trzy tabletki alka-seltzer i znowu poszedłem spać. Już taką mam melodię do spania. Mogę przespać całego kaca. Duży Otis mówi, że powinienem dokładnie zbadać, jak to robię, i opatentować ten sposób. Mówi, że mógłbym zaoszczędzić ludzkości wielu cierpień.

P: Nikt w to nie wątpi, panie Quillan. A kiedy pan się obudził po raz drugi?

O: Koło dziesiątej w piątek wieczorem. Byłem okropnie głodny, więc wyszedłem poszukać czegoś na ząb.

P: Zostawiono pana samego w otwartej celi?

O: Jasne. Jak jestem trzeźwy, nie ma lepszego człowieka ode mnie. Faktycznie jednego razu...

P: Proszę tylko powiedzieć Komisji, co się wydarzyło, kiedy pan wyszedł z celi.

O: Zaczęła wyć syrena z ratusza, oto co się wydarzyło. Cholernie się wystraszyłem. Nie słyszałem syreny od tej nocy, kiedy się skończyła wojna w Wietnamie. No więc poleciałem na górę i wierzcie lub nie, żadnego z tych skurczybyków nie było. Pomyślałem sobie, niech to szlag, Plessy za to zdrowo oberwie. Zawsze ktoś musi być na posterunku na wypadek, gdyby przyszło wezwanie. Podszedłem do okna i wyjrzałem.

P: Czy z tego okna było widać szkołę?

O: Jasne. Ludzie biegali dookoła i wrzeszczeli. I wtedy zobaczyłem Carrie White.

P: Czy kiedykolwiek przedtem widział pan Carrie White?

O: No nie.

P: Więc skąd pan wiedział, że to była właśnie ona?

O: To trudno wyjaśnić.

P: Czy widział pan ją wyraźnie?

O: Stała pod latarnią obok hydrantu na rogu Main Street i Spring Street.

P: Czy coś się wtedy stało?

O: A jakże. Cały wierzch hydrantu eksplodował w trzech różnych kierunkach. W lewo, w prawo i prosto do góry.

P: Kiedy nastąpiła ta... hm... awaria?

O: Gdzieś tak za dwadzieścia jedenasta. Nie mogło być później.

P: Co się wydarzyło potem?

O: Ona zaczęła iść ulicą. Panie, żebyś pan widział, jak ona wyglądała. Była ubrana w jakąś balową sukienkę, a raczej w to, co z niej zostało, i cała była przemoczona wodą z tego hydrantu i pochlapana krwią. Wyglądała, jakby przed chwilą wylazła z rozbitego samochodu. Ale uśmiechała się. Nigdy przedtem nie widziałem takiego uśmiechu. Wyglądała jak trupia czaszka. I ciągle patrzyła na swoje ręce, i wycierała je o sukienkę, usiłowała zetrzeć z nich krew i myślała, że chyba nigdy jej się to nie uda, i jak to zrobić, żeby rozlać krew na całe miasto i kazać im za wszystko zapłacić. Okropne to było.

P: Skąd mógł pan wiedzieć, o czym ona myśli?

O: Nie wiem. Nie potrafię wyjaśnić

P: Proponuję, żeby w dalszej części zeznania trzymał się pan ściśle tego, co pan widział, panie Quillan.

O: Okay. No więc potem poszedł drugi hydrant na rogu Grass Plaza. To już widziałem z bliska. Wielkie okrągłe śruby po bokach zaczęły same się odkręcać. Widziałem to na własne oczy. Ten hydrant rozleciał się tak samo jak tamten. A ona była zadowolona. Mówiła do siebie, że teraz ona im zrobi prysznic, że teraz... oj, przepraszam. Potem zaczęły przyjeżdżać wozy strażackie i straciłem ją z oczu. Podciągnęli wąż do szkoły i chcieli go podłączyć do tych hydrantów, ale zobaczyli, że tam nie ma wody. Szef Burton wrzeszczał na nich i wtedy właśnie szkoła eksplodowała. Jezusie.

P: Czy wyszedł pan na zewnątrz?

O: Tak. Chciałem znaleźć Plessy'ego i powiedzieć mu o tej zwariowanej dziwce i o hydrantach przeciwpożarowych. Obejrzałem się na stację benzynową Teddy'ego i zobaczyłem coś, od czego mróz mi przeszedł po kościach. Wszystkie sześć dystrybutorów zdjęto z haków. Teddy Duchamp nie żyje od tysiąc dziewięćset sześćdziesiątego ósmego roku, ale jego chłopak zawsze zamyka te pompy na noc, tak jak to robił Teddy. A teraz wszystkie kłódki wisiały wyłamane na skoblach. Końcówki węży leżały na ziemi, a każda pompa miała włączone automatyczne napełnianie. Benzyna wylewała się na podjazd i na ulicę. Matko Boska, jak to zobaczyłem, to jaja zaczęły mi dzwonić. A potem zobaczyłem, jak ten chłopak biegnie ulicą z zapalonym papierosem w ręku.

P: Co pan wtedy zrobił?
O: Wrzasnąłem na niego. Coś w tym stylu: „Hej, ty, uważaj z tym papierosem! Hej, tam jest benzyna!". Wcale mnie nie usłyszał. Nic dziwnego – w takim hałasie: syreny strażackie i te wszystkie wozy, co jeździły tam i z powrotem. Zobaczyłem, że rzuca na ziemię niedopałek, no to skoczyłem do środka.
P: Co się stało potem?
O: Potem? Potem to diabeł zaczął hulać po mieście...

W pierwszej chwili, kiedy spadły wiadra, do jej świadomości dotarł tylko głośny, metaliczny brzęk zagłuszający muzykę. Potem poczuła, że zalewa ją ciepła wilgoć. Instynktownie zamknęła oczy. Gdzieś obok rozległ się jęk. Część jej umysłu, która niedawno obudziła się do życia, odebrała krótkie wrażenie bólu.
(tommy)
Muzyka urwała się nagle ze zgrzytliwym dysonansem. Kilka głosów jeszcze przez chwilę podtrzymywało zamierającą melodię. W nagłym, okropnym przebłysku jasnowidzenia, wypełniającym jak nieubłagane przeznaczenie przepaść między teraźniejszością a przeszłością, usłyszała, jak ktoś mówi całkiem wyraźnie:
– O Boże, to krew.
A w chwilę później, jakby dla podkreślenia prawdziwości tych słów i wydobycia z nich całego znaczenia, ktoś krzyknął.
Carrie siedziała z zamkniętymi oczami, czując, jak wewnątrz niej podnosi się ciemna fala strachu. Mama miała rację, jednak mama miała rację. Znowu ją oszukali, znowu ją załatwili, znowu zrobili z niej ofiarę. Ten powtarzający się koszmar powinien już stać się czymś zwyczajnym, ale nie był; posadzili ją tutaj, na oczach wszystkich, i przed całą szkołą powtórzyli to, co się wtedy stało pod prysznicem... tylko jeden głos powiedział
(o boże to krew)
coś, co było zbyt okropne, żeby o tym myśleć. A jeśli otworzy oczy i okaże się, że to prawda, co wtedy? Och, co wtedy?
Kiedy jednak usłyszała samotny histeryczny wybuch śmiechu, przypominający szczekanie hieny, pomimo wszystko otworzyła oczy, otworzyła oczy, żeby zobaczyć, kto się śmiał, i to była praw-

da, koszmar stał się rzeczywistością, cała była czerwona, ociekała czerwienią, naznaczyli ją sekretną czerwienią krwi, tutaj, na oczach wszystkich, i jej myśli

(och... ja... oblali mnie... tym...)

zabarwiły się upiorną purpurą, kolorem wstydu i poniżenia. Czuła swój zapach, i to był smród krwi, ohydny, wilgotny zapach pozostawiający metaliczny posmak na języku. Pośród zmieniających się jak w kalejdoskopie obrazów zobaczyła gęstą krew spływającą po jej nagich udach, usłyszała szum wody uderzającej o kafelki, poczuła na skórze lekkie uderzenia tamponów, podczas gdy głosy napominały ją, żeby sobie tym zatkała, w ustach czuła gorzki, ohydny smak przerażenia. W końcu urządzili jej prawdziwy prysznic.

Do pierwszego głosu przyłączył się drugi, potem trzeci piskliwy dziewczęcy chichot – czwarty, piąty, szósty, dziesiąty, wszyscy, wszyscy się śmiali. Vic Mooney się śmiał. Widziała jego twarz, skamieniałą, zastygłą w wyrazie oszołomienia, ale mimo wszystko śmiali się. Siedziała bez ruchu, pozwalając, żeby hałas obmywał ją jak morskie fale. Wciąż jeszcze wszyscy byli piękni i wciąż wokół roztaczał się czar, ale dla niej, odkąd przekroczyła zaklętą linię, czarodziejska bajka zamieniła się w koszmar. W tej bajce ugryzła zatrute jabłko, napadły ją trolle, została pożarta przez tygrysa.

Znowu się z niej śmiali.

I nagle całe jej opanowanie prysło. Świadomość tego, jak okropnie została oszukana, zwaliła się na nią ciężarem nie do zniesienia, i straszny, bezgłośny krzyk

(oni na mnie patrzą)

wyrwał jej się z piersi. Podniosła ręce do twarzy, zasłaniając się przed ich wzrokiem, i zerwała się z krzesła. Opanowała ją jedna myśl: uciekać, wyrwać się z kręgu światła, schronić się w bezpiecznych ciemnościach.

Ale poruszała się tak powoli, jakby ugrzęzła w gęstym syropie. Coś w jej umyśle zdradziecko spowolniło upływ czasu: sekundy wlokły się bez końca, jakby ktoś przełączył całą scenę z siedemdziesięciu ośmiu obrotów na trzydzieści trzy i jedną trzecią. Nawet rozbrzmiewający wokół śmiech wydawał się zjeżdżać w ponure basowe rejestry.

Nogi jej się zaplątały i o mało nie spadła ze sceny. Pozbierała się, skuliła i zeskoczyła na dół, na podłogę. Szyderczy śmiech zabrzmiał głośniej. Przypominał zgrzytanie kamieni. Nie chciała patrzeć, a jednak widziała; światło było zbyt jasne i widziała twarze ich wszystkich, ich usta, oczy, zęby. A tuż przed oczami widziała własne, pokryte zakrzepłą krwią ręce. Panna Desjardin biegła do niej z wyciągniętymi rękami; twarz panny Desjardin przepełniona była fałszywym współczuciem. Carrie widziała, co się pod tym kryje, widziała, jak prawdziwa panna Geer dławi się obleśnym, skrzekliwym staropanieńskim chichotem. Usta panny Desjardin otwarły się i wydobył się z nich głos, powolny, głęboki i przerażający:

– Kochanie, pozwól, że ci pomogę. Och, tak mi przykro...

Odtrąciła ją

(skręt)

i panna Desjardin poleciała na bok, uderzyła o ścianę przy scenie i upadła jak długa.

Carrie zaczęła biec. Biegła przez tłum. Zakryła twarz rękami, ale mimo to widziała ich przez kraty swoich palców, widziała, jacy byli piękni, promienni, odziani w jasne, anielskie szaty Dopuszczenia. Widziała czyste, jaśniejące twarze, starannie ułożone włosy, błyszczące pantofelki, połyskliwe suknie. Cofali się przed nią, jakby była trędowata, i wciąż się śmiali. A potem potknęła się o czyjąś podstępnie wysuniętą nogę

(o tak wiedziałam że tak będzie o tak)

i upadła na ziemię, i zaczęła się czołgać na czworakach, zlepione krwią włosy zasłaniały jej twarz, czołgała się jak święty Paweł na drodze do Damaszku, oślepiony przez światło prawdy. Zaraz ktoś ją kopnie w tyłek.

Ale nikt jej nie kopnął i po chwili zdołała dźwignąć się na nogi. Czas zaczął przyspieszać. Znalazła się za drzwiami na korytarzu, potem zbiegła w dół po schodach, po tych samych schodach, po których ona i Tommy tak radośnie wstępowali jeszcze dwie godziny temu.

(tommy nie żyje zapłacił najwyższą cenę zapłacił za to że wprowadził trędowatą do pałacu światła)

Zbiegała po schodach w wielkich, niezgrabnych susach, a śmiech trzepotał wokół niej jak stado czarnych ptaków.

A potem ciemność.

Przebiegła przez szeroki trawnik przed frontem szkoły, gubiąc balowe pantofelki. Bosymi stopami wyczuwała trawę, krótko przy ciętą i miękką jak aksamit, lekko wilgotną od rosy. Śmiech został z tyłu. Zaczynała się uspokajać.

A potem naprawdę zaplątały jej się nogi i upadła jak długa obok masztu ze szkolną flagą. Leżała bez ruchu, rozpaczliwie łapiąc powietrze, zanurzając rozpaloną twarz w chłodnej trawie. Pierwsze łzy wstydu cisnęły jej się pod powieki, ciężkie i gorące jak pierwsze krople menstruacyjnej krwi. Oszukali ją, wystawili na pośmiewisko, dali jej nauczkę raz na zawsze. Wszystko skończone.

Zaraz, za chwilę weźmie się w garść, przekradnie się do domu bocznymi uliczkami, kryjąc się w cieniu, żeby nikt jej nie dojrzał, odnajdzie mamę, przeprosi ją, przyzna, że nie miała racji...

(!!!nie!!!)

Cała jej nieugięta, twarda jak stal dusza wybuchła nagle krzykiem protestu. Znowu komórka? Znowu monotonne, niekończące się modlitwy? Znowu krzyż i religijne broszurki, i tylko mechaniczna kukułka w zegarze będzie odmierzać pozostałe godziny, dni, miesiące i lata jej życia?

W tym momencie jakby taśma wideo przewinęła się w jej umyśle: zobaczyła, jak panna Desjardin biegnie do niej, a potem zatacza się i przewraca jak szmaciana lalka, kiedy, nawet o tym nie myśląc, użyła swojej mocy. Przewróciła się na plecy; jej oczy w umorusanej twarzy wpatrywały się dziko w rozgwieżdżone niebo. O mało nie zapomniała.

(!!!moc!!!)

Najwyższy czas, żeby im pokazać. Czas, żeby dać im nauczkę. Zachichotała histerycznie. To było jedno z ulubionych wyrażeń mamy.

(mama wraca do domu stawia torbę na stole okulary połyskują no chyba dałam dzisiaj niezłą nauczkę tej flądrze w sklepie)

157

Jest przecież system tryskaczy. Można je poodkręcać. Żaden problem. Znowu zachichotała, wstała i boso ruszyła do drzwi wejściowych. Uruchomić tryskacze i pozamykać wszystkie drzwi. Zaglądać do środka tak, żeby oni widzieli, jak zagląda do środka, patrzy na nich i śmieje się, podczas gdy woda niszczy im suknie i fryzury, plami lśniące lakierki. Żałowała tylko, że to nie może być krew.

Korytarz był pusty. Zatrzymała się w połowie schodów i – skręt – wszystkie drzwi zatrzasnęły się z hukiem, kiedy skierowała na nie skoncentrowany strumień woli. Pneumatyczne zasuwy wskoczyły w zamki. Usłyszała, że parę osób krzyknęło, i zabrzmiało to dla niej jak muzyka, słodka, kojąca muzyka.

Przez chwilę nic się nie działo. Potem poczuła, jak zaczynają napierać na drzwi, próbując je otworzyć. Ich wysiłki nie miały znaczenia. Znaleźli się w pułapce.

(w pułapce)

Te upajające słowa rozbrzmiewały echem w jej głowie.

Byli w jej rękach, w jej mocy. Moc! Cóż to było za słowo!

Pokonała resztę schodów, zajrzała do środka i zobaczyła George'a Dawsona; przyciśnięty do szyby walczył i szamotał się z twarzą wykrzywioną wysiłkiem. Za nim tłoczyli się inni; wyglądali jak ryby w akwarium.

Popatrzyła w górę; tak, rzeczywiście były tam rury tryskaczy z małymi wylotami, przypominającymi metalowe stokrotki. Rury przechodziły przez niewielkie otwory w pomalowanej na zielono betonowej ścianie. Pamiętała, że było ich mnóstwo. Przepisy przeciwpożarowe czy coś w tym rodzaju. Przepisy przeciwpożarowe. W nagłym przebłysku olśnienia przypomniała sobie

(grube czarne kable jak węże)

kable elektryczne oplatające całą scenę. Światła rampy ukrywały je przed wzrokiem publiczności, ale Carrie pamiętała, że musiała ostrożnie przez nie przestąpić, podchodząc do tronu. Tommy trzymał ją wtedy pod ramię.

(ogień i woda)

Sięgnęła swoim umysłem w górę, wyczuła rury, prześledziła ich bieg. Zimne, pełne wody. W ustach poczuła smak żelaza, zimnego, mokrego metalu, jak wtedy kiedy napiła się z końcówki ogrodowego węża do podlewania.

Skręt.

Przez chwilę nic się nie działo. Potem ludzie zaczęli cofać się od drzwi i rozglądać niespokojnie. Podeszła do małego podłużnego okienka w środkowych drzwiach i zajrzała do środka.

W sali gimnastycznej padał deszcz.

Carrie zaczęła się uśmiechać.

Nie dosięgnął wszystkich. Ale szybko zorientowała się, że kiedy ma cały system rur przed oczami, łatwiej jej nimi manipulować. Zaczęła odkręcać następne wypusty, coraz więcej. Ale to było za mało. Jeszcze nie krzyczeli, więc to za mało.

(ból zadać im ból)

Na scenie obok ciała Tommy'ego jakiś chłopiec wołał coś i gwałtownie gestykulował. Patrzyła, jak zeskoczył na dół i podbiegł do podium ze sprzętem zespołu rockowego. Chwycił jeden z mikrofonów i nagle zastygł w bezruchu jak sparaliżowany. Carrie, zafascynowana, obserwowała, jak jego ciało zaczyna podrygiwać w elektrycznym tańcu. Szurał stopami po podłodze, włosy stanęły mu dęba, usta otwarły się szeroko jak pyszczek ryby. Wyglądał śmiesznie. Carrie zaczęła się śmiać.

(jak boga kocham więc niech oni wszyscy tak wyglądają)

I całą moc, jaką dysponowała, włożyła w nagłe, ślepe uderzenie.

Kilka żarówek strzeliło i zgasło. Gdzieś oślepiająco błysnęło światło, kiedy kabel pod napięciem wpadł w kałużę wody. Bezpieczniki strzelały jeden za drugim w beznadziejnych próbach opanowania spięcia, a wtedy za każdym razem w jej głowie rozlegał się głuchy huk. Chłopiec, który trzymał stojak mikrofonu, przewrócił się na jeden ze wzmacniaczy. Nastąpiła eksplozja purpurowych iskier, a potem kolorowa bibuła przystrajająca przód sceny stanęła w płomieniach.

Tuż obok tronów przewód elektryczny pod napięciem dwustu dwudziestu woltów skakał i wił się po podłodze jak żywy, a przy nim Rhonda Simard w swojej zielonej tiulowej kreacji podrygiwała jak marionetka w jakimś szaleńczym tańcu. Szeroka, długa do ziemi spódnica nagle buchnęła płomieniem i Rhonda upadła na twarz. Jej ciało nadal drgało.

Być może właśnie w tej chwili Carrie przekroczyła granicę szaleństwa. Oparła się o drzwi, serce łomotało jej dziko w piersi, a całe ciało było zimne jak bryła lodu. Twarz jej posiniała, na policzkach wykwitły czerwone plamy jak w gorączce. W głowie czuła ciężkie uderzenia tętna. Nie mogła zebrać myśli.

Wycofała się spod drzwi, machinalnie przytrzymując je zamknięte przez cały czas, bez żadnego planu. Wewnątrz płomienie strzeliły wyżej i Carrie pomyślała mętnie, że musiała się zająć dekoracja.

Opadła na najwyższy stopień schodów i skuliła się z głową na kolanach, usiłując wyrównać oddech. Tamci znowu próbowali otworzyć drzwi, ale z łatwością trzymała je zamknięte – to jedno nie wymagało od niej żadnego wysiłku. Jakiś nieokreślony zmysł podpowiedział jej, że kilka osób ucieka wyjściem awaryjnym, ale zignorowała to. Niech uciekają. Dostanie ich później. Dostanie ich wszystkich. Co do jednego. Powoli zeszła ze schodów i wydostała się głównym wejściem, nadal przytrzymując drzwi sali gimnastycznej. To było łatwe. Wystarczyło tylko widzieć je w myślach.

Nieoczekiwanie włączyła się miejska syrena. Carrie krzyknęła i zakryła twarz rękami.

(uspokój się to tylko syrena strażacka)

Na chwilę umknęła jej wizja drzwi od sali gimnastycznej i kilkoro z nich prawie się wydostało na zewnątrz. O nie, nie. Niegrzeczne dzieci. Zatrzasnęła drzwi ponownie, przycinając komuś palce – wyczuła, że to był Dale Norbert – i odrąbując jeden z nich.

Jeszcze raz przeszła przez trawnik – ciemna sylwetka, przypominająca stracha na wróble, z wytrzeszczonymi oczami. Szła w kierunku Main Street. Po prawej miała centrum – skład towarów, bar Kelly Fruit, salon piękności i fryzjera, stację benzynową, posterunek policji, remizę strażacką...

(zgaszą mój ogień)

Nie, nie zrobią tego. Zaczęła chichotać jak obłąkana; w tym śmiechu słychać było jednocześnie triumf i strach, radość zwycięstwa i gorycz porażki. Zbliżyła się do pierwszego hydrantu i spróbowała odkręcić wielką okrągłą pokrytą farbą śrubę z boku.

(ojej)

Szło jej ciężko. Wyjątkowo ciężko. Śruba była mocno przykręcona do podkładki. Nie szkodzi. Nacisnęła mocniej i poczuła, że śruba puszcza. Potem obluzowała śrubę z drugiej strony. Potem u góry. Wreszcie cofnęła się i odkręciła wszystkie trzy jednocześnie. Puściły natychmiast. Woda strzeliła w górę i na boki. Jedna z okrągłych nakrętek przeleciała pięć stóp od niej z samobójczym pośpiechem, uderzyła w jezdnię, odbiła się wysoko i znikła. Strumienie spienionej wody tryskały pod wysokim ciśnieniem na cztery strony świata niczym ramiona krzyża.

Z uśmiechem, potykając się, ruszyła w stronę Grass Plaza. Serce waliło jej w tempie ponad dwustu uderzeń na minutę. Nie zdawała sobie sprawy ani z tego, że przez cały czas wyciera zakrwawione ręce o sukienkę jak lady Makbet, ani z tego, że mimo uśmiechu na ustach bez przerwy szlocha, ani z tego, że jakaś ukryta cząstka jej duszy wciąż lamentuje nad tą całkowitą, ostateczną klęską.

Ponieważ zamierzała zabrać ich ze sobą. Zamierzała rozpętać wielki ogień, żeby w całym mieście woń spalenizny biła pod niebo.

Otworzyła hydrant na Grass Plaza, a następnie ruszyła do stacji benzynowej Teddy'ego Amoco. Tak się złożyło, że była to pierwsza stacja benzynowa, którą Carrie odwiedziła tej nocy – ale nie ostatnia.

Fragment zaprzysiężonego zeznania szeryfa Otisa Doyle'a złożonego przed Komisją Śledczą Stanu Maine (*Raport Białej Komisji*), s. 29–31:

P: Szeryfie, gdzie pan był wieczorem dwudziestego siódmego maja?

O: Byłem na trasie sto siedemdziesiąt dziewięć, znanej jako Old Bentown Road, i przeprowadzałem śledztwo w sprawie wypadku drogowego. Właściwie to już było poza granicami miasta Chamberlain, w okręgu Durham, ale musiałem pomóc Melowi Cragerowi, który jest posterunkowym w Durham.

P: Kiedy otrzymał pan pierwszą wiadomość, że w Szkole Średniej imienia Ewena zdarzył się wypadek?

O: Otrzymałem wiadomość przez radio od komisarza Jacoba Plessy'ego o godzinie dwudziestej drugiej dwadzieścia jeden.

P: Jaki był charakter tego wezwania?

O: Komisarz Plessy poinformował mnie, że w szkole zdarzył się wypadek, ale nie potrafił określić, czy to coś poważnego. Było dużo krzyku, powiedział, i ktoś włączył syrenę alarmową. Oświadczył, że zamierza tam pojechać i spróbuje dowiedzieć się czegoś więcej.

P: Czy poinformował pana, że w szkole wybuchł pożar?

O: Nie.

P: Czy wydał mu pan polecenie, żeby skontaktował się z panem ponownie?

O: Tak.

P: Czy komisarz Plessy zgłosił się zgodnie z poleceniem?

O: Nie. Zginął podczas eksplozji na stacji benzynowej Teddy'ego Amoco, która znajdowała się na rogu Main Street i Summer Street.

P: Kiedy otrzymał pan następny meldunek radiowy z Chamberlain?

O: O dwudziestej drugiej czterdzieści dwie. W tym czasie wracałem już do Chamberlain, wioząc podejrzanego na tylnym siedzeniu – pijanego kierowcę. Jak już mówiłem, wypadek wydarzył się właściwie w okręgu Mela Cragera, ale w Durham nie ma więzienia. Co prawda, kiedy dowiozłem go na miejsce, w Chamberlain również nie było już więzienia.

P: Jaką wiadomość otrzymał pan o dwudziestej drugiej czterdzieści dwie?

O: Otrzymałem wezwanie ze straży pożarnej w Motton, przekazane przez policję stanową. Dyżurny policjant powiedział mi, że w Szkole Średniej imienia Ewena wybuchł pożar i doszło do rozruchów, a oprócz tego prawdopodobnie nastąpił jakiś wybuch. Wtedy jeszcze nikt nie był niczego pewien. Proszę pamiętać, że to wszystko wydarzyło się w ciągu zaledwie czterdziestu minut.

P: Rozumiemy to, szeryfie. Co było dalej?

O: Dojechałem do Chamberlain z włączoną syreną i sygnałem świetlnym. Próbowałem złapać Jake'a Plessy'ego, ale bez powodzenia. Wtedy właśnie zjawił się Tom Quillan i zaczął bełkotać, że całe miasto się pali i że nie ma wody.

P: Czy pamięta pan, o której to było?

O: Tak. Od tego momentu zapisywałem czas. To była dwudziesta druga pięćdziesiąt osiem.

P: Quillan twierdzi, że stacja benzynowa Amoco wyleciała w powietrze o jedenastej.

O: Możemy przyjąć średnią. Powiedzmy, że to było o dwudziestej drugiej pięćdziesiąt dziewięć.

P: O której dojechał pan do Chamberlain?

O: O dwudziestej trzeciej dziesięć.

P: Jakie było pana pierwsze wrażenie, kiedy pan dotarł na miejsce, szeryfie?

O: Byłem oszołomiony. Nie mogłem uwierzyć w to, co widzę.

P: A co konkretnie pan widział?

O: Pół dzielnicy handlowej miasta stało w płomieniach. Stacja benzynowa Amoco znikła. Dom towarowy Wollwortha był jedną płonącą ruiną. Ogień rozszerzył się na drewniane budynki, które stały obok – bar Duffy'ego, Kelly Fruit Company, salon bilardowy. Gorąc był okrutny. Iskry wzlatywały w górę i spadały na dach Agencji Nieruchomości Maitlanda i Salonu Samochodowego Douga Branna. Wozy straży pożarnej nadjeżdżały jeden za drugim, ale niewiele mogły zrobić. Wszystkie hydranty przeciwpożarowe po tej stronie ulicy były zdewastowane. Jedynie dwa stare wozy ochotniczej straży pożarnej z Westover, które miały pompy, brały udział w akcji, ale nie na wiele się przydały, mogły tylko polewać wodą dachy najbliższych budynków. No i oczywiście szkoła. Szkoły... po prostu nie było. Co prawda stała osobno – żaden budynek nie był na tyle blisko, żeby się od niej zająć – ale, mój Boże, wszystkie te dzieciaki w środku... wszystkie te dzieciaki...

P: Czy wjeżdżając do miasta, spotkał pan pannę Susan Snell?

O: Tak. Zatrzymała mnie.

P: O której to było?

O: Zaraz jak wjechałem do miasta... dwudziesta trzecia dwanaście, nie później.

P: Co ona powiedziała?

O: Była półprzytomna. Miała jakiś drobny wypadek samochodowy – wpadła w poślizg – i mówiła trochę od rzeczy. Chciała się dowiedzieć, czy jakiś Tommy nie żyje. Zapytałem ją, kto to jest Tommy, ale nie odpowiedziała. Zamiast tego zapytała mnie, czy już złapałem Carrie.

P: Szeryfie Doyle, Komisję szczególnie interesuje ta część pańskiego zeznania.

O: Tak, wiem o tym.

P: Co pan odpowiedział na to pytanie?

O: Cóż, z tego, co wiem, w mieście była tylko jedna Carrie – córka Margaret White. Zapytałem pannę Snell, czy Carrie miała coś wspólnego z pożarem. Panna Snell oświadczyła, że to Carrie wywołała pożar. Powiedziała dokładnie tak: „Carrie to zrobiła. Carrie to zrobiła". Powtórzyła to dwa razy.

P: Czy mówiła coś jeszcze?

O: Tak. Powiedziała: „Po raz ostatni ją skrzywdzili".

P: Szeryfie, czy jest pan pewien, że nie powiedziała: „Po raz ostatni ją skrzywdziliśmy?".

O: Jestem pewien.

P: Czy jest pan o tym całkowicie przekonany? Na sto procent?

O: Cóż... wokół nas płonęło miasto. Ja...

P: Czy ona piła?

O: Przepraszam?

P: Czy ona piła? Powiedział pan, że miała wypadek.

O: Wydaje mi się, że już powiedziałem, że to był drobny wypadek – po prostu wpadła w poślizg.

P: I jest pan całkowicie pewien, że nie powiedziała: „skrzywdziliśmy", tylko „skrzywdzili"?

O: Wydaje mi się, że nie, ale...

P: Co następnie zrobiła panna Snell?

O: Wybuchnęła płaczem. Uderzyłem ją w twarz.

P: Dlaczego pan to zrobił?

O: Wydawało mi się, że wpadła w histerię.

P: I wtedy się uspokoiła?

O: Tak. Przestała płakać i bardzo szybko się opanowała, jeśli wziąć pod uwagę, że jej chłopiec prawdopodobnie zginął.

P: Czy przesłuchał ją pan?

O: No, nie w ten sposób, w jaki się przesłuchuje kryminalistów, jeśli o to panu chodzi. Poprosiłem ją, żeby powiedziała mi wszystko, co jej wiadomo o tym wypadku. Powtórzyła tylko to, co mi powiedziała wcześniej, ale spokojniej. Zapytałem ją, gdzie była, kiedy się to wszystko zaczęło, a ona odparła, że była w domu.

P: Czy przesłuchiwał ją pan dalej?

O: Nie.

P: Czy jeszcze coś mówiła?
O: Tak. Prosiła mnie – błagała – żebym znalazł Carrie White.
P: Jak pan zareagował na to żądanie?
O: Kazałem jej iść do domu.
P. Dziękujemy panu, szeryfie.

Vic Mooney, zataczając się i szczerząc zęby, wypadł z ciemności zalegającej parking kantoru drive-in, należącego do Trustu Banków. Szeroki, przerażający uśmiech, uśmiech kota z „Alicji w Krainie Czarów", błądził mu sennie po twarzy jak w lunatycznym transie, ledwie widoczny w słabym blasku łuny pożaru. Włosy, poprzednio starannie ulizane, jak przystało mistrzowi ceremonii, sterczały mu teraz na wszystkie strony niczym wronie gniazdo. Na czole miał trochę krwi – pamiątkę po jakimś zapomnianym upadku podczas szaleńczej ucieczki z wiosennego balu. Podbite, zapuchnięte oko otaczał purpurowy siniec. Potykając się, dobrnął do samochodu szeryfa Doyle'a, całym ciężarem wpadł na maskę, odbił się od niej jak kula bilardowa i wyszczerzył zęby do pijanego kierowcy, drzemiącego na tylnym siedzeniu. Potem zagapił się na Doyle'a, który właśnie skończył rozmawiać ze Sue Snell. Płomienie rzucały na niego migotliwy poblask, zabarwiając wszystko kasztanowym kolorem zakrzepłej krwi.

Kiedy Doyle się odwrócił, Vic Mooney rzucił się na niego i chwycił go w ramiona jak zakochany młodzieniec obejmujący w tańcu swoją wybraną. Przywarł do niego z całej siły, wybałuszając oczy i nadal obłąkańczo szczerząc zęby.

– Vic... – zaczął Doyle.

– Odkręciła wszystkie krany – powiedział Vic lekko, z uśmiechem. – Odkręciła wszystkie krany i wypuściła wodę, bzz, bzz, bzz.

– Vic...

– Nie można ich wypuścić. Och nie. NieNieNie. Carrie odkręciła wszystkie krany. Rhonda Simard spalona. O Jeeeeeezuuuuuuu...

Doyle uderzył go w twarz. Stwardniała dłoń dwukrotnie wylądowała na policzku chłopca z suchym klaśnięciem. Krzyk urwał

165

się nagle z zaskakującą szybkością, ale uśmiech pozostał, nieprzytomny i przerażający niczym odległe echo zła.

– Co się stało? – zapytał szorstko Doyle. – Co się stało w szkole?

– Carrie – wymamrotał Vic. – Carrie się stała w szkole. Ona...

– Stracił wątek i uśmiechnął się bezmyślnie. Doyle potrząsnął nim lekko. Zęby Vica zaszczękały o siebie jak kastaniety.

– Co z Carrie?

– Królowa balu. Oblali krwią ją i Tommy'ego.

– Co...

Była 23.15. Stacja benzynowa Citgo na Summer Street eksplodowała nagle z donośnym, szarpiącym nerwy hukiem. Na ulicy zrobiło się jasno jak w dzień, aż obaj, oślepieni, zatoczyli się do tyłu na maskę samochodu i osłonili oczy rękami. Ogromny, połyskliwy jęzor płomienia wspiął się na wiązy rosnące w Courthouse Park, oświetlając szkarłatną poświatą staw dla kaczek i boisko baseballowe. Potem ogień z trzaskiem wystrzelił w górę. Doyle słyszał, jak na ziemię spadają z brzękiem kawałki szkła i drewna, a ponad wszystkim górował żarłoczny ryk płomieni. Ponownie zmrużyli oczy, kiedy nastąpiła kolejna eksplozja. Doyle wciąż nie mógł zrozumieć

(moje miasto się pali moje miasto)

że to wszystko się dzieje w Chamberlain, w Chamberlain, na miłość boską, w tym samym Chamberlain, gdzie pił mrożoną herbatę na słonecznym ganku w domu swojej matki i sędziował w mistrzostwach koszykówki, i codziennie o drugiej trzydzieści nad ranem odbywał ostatni rutynowy objazd szosą nr 6 obok „The Cavalier". Jego miasto się paliło.

Z posterunku policji wyskoczył Tom Quillan i podbiegł do samochodu Doyle'a. Włosy sterczały mu na wszystkie możliwe strony, ubrany był w brudny zielony roboczy kombinezon i podkoszulek, włożył na odwrót swoje rozczłapane mokasyny, ale Doyle pomyślał, że jeszcze nigdy w życiu tak się nie ucieszył z czyjegoś widoku. Tom Quillan był nieodłączną cząstką Chamberlain, niemal symbolem tego miasta – i oto okazało się, że jest cały i zdrowy.

– Święty Boże – wydyszał Quillan. – Widziałeś to?

– Co się dzieje? – zapytał krótko Doyle.

– Rozmawiałem przez radio – powiedział zasapany Quillan. – Motton i Westover chciały wiedzieć, czy mają wysyłać karetki pogotowia, więc im powiedziałem, że tak, do cholery, niech wysyłają wszystko. Karawany też. Dobrze zrobiłem?

– Tak. – Doyle przeczesał włosy palcami. – Widziałeś gdzieś Harry'ego Blocka? – Block zarządzał siecią Miejskich Urządzeń Użyteczności Publicznej, co dotyczyło również instalacji wodnych.

– Nie. Ale szef Deighan mówi, że mają wodę w tym starym domu Renneta po drugiej stronie. Właśnie przeciągają węże. Zagoniłem paru chłopaków do roboty i teraz zakładają szpital na posterunku. To dobre dzieciaki, ale mogą ci pobrudzić krwią podłogi, Otis.

Otis Doyle doznał przemożnego wrażenia, że to wszystko mu się śni. Z pewnością takie słowa nie mogły paść w Chamberlain. Po prostu nie mogły.

– W porządku, Tommy. Dobra robota. Wracaj tam i dzwoń do wszystkich lekarzy w mieście, jakich znajdziesz w książce telefonicznej. Ja jadę na Summer Street.

– Okay, Otis. Jeśli natkniesz się na tę zwariowaną dziwkę, bądź ostrożny.

– Na kogo?! – Szeryf Doyle nie miał zwyczaju wrzeszczeć na ludzi, ale tego już było za wiele.

Tom Quillan wzdrygnął się i cofnął o krok.

– Na Carrie. Carrie White.

– Kto? Skąd wiesz?

Quillan powoli zamrugał oczami.

– Nie mam pojęcia. To tak jakoś... samo wpadło mi do głowy.

Telegram nadesłany do Associated Press o godzinie 23.56:

Chamberlain, Maine (AP)

Dziś w nocy w miejscowości Chamberlain, Maine, wydarzyła się groźna w skutkach katastrofa. Pożar, który wybuchł w Szkole Średniej im. Thomasa Ewena, rozszerzył się na śródmieście i spowodował liczne eksplozje, w wyniku których większa część dzielnicy handlowej została zrównana z ziemią. Doniesiono, że dzielnica mieszkaniowa na zachód od śródmieścia również stoi w płomieniach. Jednakże w chwili obecnej najbardziej zagrożonym miejscem jest szkoła, w której właśnie odbywała się zabawa. Przypuszcza się, że wielu spośród jej uczestników zostało uwięzionych wewnątrz budynku. Naczelnik straży pożarnej z Andover, przybyłej na miejsce wypadku, oświadczył, że liczba ofiar śmiertelnych wynosi jak dotąd sześćdziesiąt siedem osób, w większości uczniów szkoły. W odpowiedzi na pytanie, jak wielka może być całkowita liczba ofiar pożaru, odparł: „Nie wiemy i boimy się zgadywać. To może być gorsze niż pożar na Coconut Grove". Według ostatnich doniesień w trzech punktach miasta ogień wymknął się spod kontroli. Nie potwierdzono pogłosek o możliwości podpalenia. Koniec. 23.56 27 maja 8943F AP

Była to ostatnia depesza do Agencji Associated Press wysłana z Chamberlain. O godzinie 0.06 został otwarty główny zbiornik benzyny na Jackson Avenue. O 0.17, kiedy karetka pogotowia pędziła Jackson Avenue w stronę Summer Street, jeden z pielęgniarzy wyrzucił przez okno niedopałek papierosa.

Eksplozja zniszczyła niemal połowę ciągu zabudowań, w tym również redakcję „Chamberlain Clarion". O godzinie 0.18 Chamberlain zostało odcięte od reszty świata. W całym kraju ludzie spali spokojnie, o niczym nie wiedząc.

O 0.10, na dziesięć minut przed wybuchem głównego zbiornika z benzyną, w centrali telefonicznej nastąpiła pomniejsza awaria: wszystkie miejskie linie telefoniczne kompletnie się poplątały. Trzy udręczone telefonistki pozostały na stanowiskach, ale były zupełnie bezradne. Pracowały pospiesznie, z twarzami zastygłymi w wyrazie grozy, próbując przywrócić zerwane połączenia.

W następstwie tego mieszkańcy Chamberlain wylegli na ulice. Nadchodzili niczym armia duchów z cmentarza położonego przy skrzyżowaniu The Bellsqueze Road i szosy nr 6; nadchodzili w białych koszulach nocnych i szlafrokach powiewających na wietrze jak całuny. Nadchodzili w piżamach i z zakręconymi na wałki włosami (pani Dawson, ta sama, której niezwykle dowcipny syn właśnie zszedł z tego świata, miała na twarzy maseczkę kosmetyczną i wyglądała, jakby się ucharakteryzowała na bal przebierańców); nadchodzili, żeby zobaczyć, co się dzieje z ich miastem, żeby przekonać się na własne oczy, że Chamberlain naprawdę płonie i krwawi. Wielu z nich przyszło również po to, żeby umrzeć.

Zapełnili Carlin Street, tłocząc się w narastającym ścisku, i z wolna posuwali się w stronę śródmieścia, oświetleni apokaliptycznym blaskiem płomieni, kiedy Carrie wyszła z kościoła kongregacjonalistów, gdzie się modliła.

Weszła do kościoła zaledwie pięć minut wcześniej, zaraz po otworzeniu głównego zbiornika paliwa (to było łatwe; skoro tylko wyobraziła sobie zbiornik znajdujący się pod ziemią, reszta okazała się łatwa), ale wydawało jej się, że od tej chwili upłynęły całe godziny. Modliła się długo i gorąco, na głos i po cichu. Serce głucho, pospiesznie waliło jej w piersiach. Żyły na szyi i skroniach nabrzmiały. Umysł wypełniała potężna wiedza: poznała moc, poznała otchłań. Modliła się przed ołtarzem, klęcząc w podartej, mokrej i zakrwawionej sukience, boso, z brudnymi, pokrwawionymi stopami (gdzieś nadepnęła na rozbitą butelkę). Przy każdym oddechu z jej gardła wyrywało się łkanie, a w całym kościele rozlegały się szelesty, szmery i westchnienia, kiedy tryskająca z niej energia poruszała wszystkim dookoła. Ławki podnosiły się i opadały, śpiewniki z hymnami latały w powietrzu, srebrny kielich do komunii krążył bezgłośnie po wielkiej, ciemnej, pustej nawie, żeby w końcu roztrzaskać się o odległą ścianę. Modliła się, ale nie otrzymała odpowiedzi. Nikogo tu nie było – gdyby nawet był Ktoś lub Coś, to chował się przed nią. Bóg odwrócił od niej swoją twarz. Czyż można się dziwić? Przecież ten koszmar był również Jego dziełem. A zatem mogła wyjść z kościoła, wrócić do domu, odnaleźć mamę i dokończyć dzieła zniszczenia.

Zatrzymała się na najniższym stopniu schodów i popatrzyła na tłum płynący ulicą w stronę centrum miasta. Zwierzęta. Niechaj zatem spłoną. Niech ulice wypełnią się smrodem ich ofiary. Niechaj to miejsce nazwą Przekleństwem, *ichabod* *, stacją męki.

Skręt.

_____

* *Ichabod* (hebr.) – przeminęła sława.

169

Skrzynki transformatorów wysoko na słupach latarni rozkwitły purpurowym, opalizującym blaskiem, wyrzucając w powietrze roje wirujących iskier. Przewody wysokiego napięcia spadły na ulicę w splątanych zwojach i niektórzy zaczęli biec; zrobili błąd, bo teraz już cała ulica była najeżona przeszkodami, i rozpoczęło się całopalenie, i poczuła smród. Ludzie krzyczeli i uciekali, dotykali kabli i wpadali w elektryczny pląs. Niektórzy padali bezwładnie na jezdnię, ich piżamy i szlafroki zaczynały się tlić.

Carrie odwróciła się i spojrzała na kościół, z którego przed chwilą wyszła. Ciężkie drzwi zatrzasnęły się nagle, jakby szarpnięte gwałtownym podmuchem wiatru.

Carrie ruszyła w stronę domu.

Fragment zaprzysiężonego zeznania pani Cory Simard, złożonego przed Komisją Śledczą Stanu Maine (*Raport Białej Komisji*), s. 217–218.

P: Pani Simard, Komisja rozumie, że straciła pani córkę podczas Nocy Zagłady, i współczujemy pani głęboko. Postaramy się, żeby przesłuchanie trwało jak najkrócej.

O: Dziękuję. Chciałabym pomóc, jeśli tylko będę mogła.

P: Czy była pani na Carlin Street dwanaście minut po północy, kiedy Carietta White wyszła z Pierwszego Kongregacjonalistycznego Kościoła, który stoi przy tej ulicy?

O: Tak.

P: Dlaczego pani się tam znalazła?

O: Mój mąż musiał wyjechać do Bostonu w interesach, a Rhonda poszła na wiosenny bal. Byłam sama w domu, oglądałam telewizję i czekałam na nią. Oglądałam właśnie program rozrywkowy nadawany co piątek wieczorem, kiedy zaczęła wyć miejska syrena alarmowa, ale nie skojarzyłam tego z balem. Potem usłyszałam wybuch... Nie wiedziałam, co robić. Próbowałam się dodzwonić na policję, ale po pierwszych trzech cyfrach ciągle był sygnał „zajęty". A... a potem...

P: Spokojnie, pani Simard. Niech pani odpocznie. Nie ma pośpiechu.

O: Zaczęłam się coraz bardziej denerwować. Usłyszałam drugi wybuch – teraz wiem, że to była stacja benzynowa Teddy'ego

Amoco – i postanowiłam pójść do miasta zobaczyć, co się dzieje. Na niebie pojawiła się wielka łuna. A potem pani Shyres zaczęła się dobijać do drzwi.

P: Pani Georgette Shyres?

O: Tak, oni mieszkają za rogiem, na Willow Street pod numerem dwieście siedemnaście. To zaraz przy Carlin Street. Waliła w drzwi i krzyczała: „Cora, jesteś? Jesteś, Cora?". Poszłam jej otworzyć. Była w płaszczu kąpielowym i w kapciach. Wyglądała, jakby jej było zimno w nogi. Powiedziała, że dzwoniła do Auburn, żeby się czegoś dowiedzieć, a oni jej powiedzieli, że szkoła się pali. Zawołałam: „O Boże, Rhonda jest na balu!".

P: Czy to wtedy postanowiła pani iść do miasta z panią Shyres?

O: Myśmy niczego nie postanowiły. Po prostu poszłyśmy. Włożyłam na nogi jakieś kapcie – chyba Rhondy. Miały z przodu białe pomponiki. Powinnam była włożyć buty, ale zupełnie nie mogłam myśleć. Chyba teraz też przestaję myśleć. Po co ja opowiadam o jakichś kapciach?

P: Proszę, niech pani to opowiada po swojemu, pani Simard.

O: Dzię... dziękuję. Dałam pani Shyres jakąś starą kurtkę, która wisiała przy drzwiach, i poszłyśmy.

P: Czy na Carlin Street było dużo ludzi?

O: Nie wiem. Byłam za bardzo zdenerwowana. Może ze trzydzieści osób, może więcej.

P: Co dalej?

O: Szłyśmy z Georgette w kierunku Main Street, trzymając się za ręce, jak dwie małe dziewczynki, które idą w nocy przez las. Georgette szczękała zębami. Pamiętam to, bo chciałam jej powiedzieć, żeby przestała, ale pomyślałam sobie, że to by było nieuprzejme. Kiedy byłyśmy półtora bloku od kościoła kongregacjonalistów, zobaczyłam, że drzwi się otwierają, i pomyślałam: ktoś tam wszedł, żeby prosić Boga o ratunek. Ale już sekundę później wiedziałam, że to nieprawda.

P: Skąd pani to wiedziała? Logicznie byłoby raczej przyjąć to, co pani pomyślała najpierw, prawda?

O: Po prostu wiedziałam.

P: Czy rozpoznała pani osobę, która wyszła z kościoła?

O: Tak. To była Carrie White.

P: Czy kiedykolwiek przedtem widziała pani Carrie White?

O: Nie. Ona się nie przyjaźniła z moją córką.

P: Czy może widziała pani kiedyś fotografię Carrie White?

O: Nie.

P: Poza tym było przecież ciemno, a pani znajdowała się w odległości półtora bloku od kościoła.

O: Tak.

P: Więc skąd pani wiedziała, że to była Carrie White?

O: Po prostu wiedziałam.

P: Czy uświadomiła to pani sobie w ten sposób, jakby nagle w pani głowie zapaliło się światło?

O: Nie.

P: Wobec tego co to było?

O: Nie potrafię powiedzieć. To się zatarło w pamięci jak sen. Czasem po obudzeniu się człowiek nie pamięta, co mu się śniło, pamięta tylko, że miał jakiś sen. A jednak wiedziałam.

P: Czy ze świadomością tego faktu związane było jakieś uczucie?

O: Tak. Przerażenie.

P: Co pani wtedy zrobiła?

O: Odwróciłam się do Georgette i powiedziałam: „To ona". Georgette odparła: „Tak, to ona". Zaczęła coś jeszcze mówić, ale wtedy cała ulica została oświetlona jasnym błyskiem, rozległy się głośne trzaski, a potem z góry zaczęły spadać kable elektryczne. Z niektórych leciały iskry. Jeden kabel trafił w mężczyznę, który stał przed nami, i ten człowiek za... zapalił się. Inny zaczął uciekać i nadepnął na kabel, i jego ciało dosłownie... wygięło się w łuk do tyłu, jakby było z gumy. A potem upadł. Inni ludzie zaczęli krzyczeć i uciekać, po prostu uciekać na oślep, a z góry spadało coraz więcej przewodów. Wiły się wszędzie jak węże. A ona się z tego cieszyła. Cieszyła się! Czułam, że się cieszy. Wiedziałam, że nie wolno mi tracić głowy. Wszyscy, którzy uciekali, zostawali porażeni elektrycznością. Georgette powiedziała: „Szybko, Cora. O Boże, nie chcę być spalona żywcem". Ja na to: „Stój, Georgette. Jeśli teraz stracisz głowę, już nigdy nie będziesz mogła zrobić z niej użytku". Czy coś podobnie głupiego. Ale ona nie słuchała. Puściła moją rękę i zaczęła biec chodnikiem. Krzyknęłam za nią, żeby się zatrzymała – tam był jeden z tych wielkich, ciężkich kabli, dokładnie przed nami – ale nie posłuchała. A potem... potem... Boże, poczułam, poczułam węchem, kiedy zaczęła się palić. Dym jakby buchnął z jej ubrania i wtedy pomyślałam: tak musi wyglądać, kiedy kogoś zabijają na krześle elektrycznym. Zapach był słodkawy jak zapach pieczonej wieprzowiny. Czy ktoś z was kiedykolwiek to czuł? Czasami śni mi się ten zapach. Stałam bez ruchu i patrzyłam, jak Georgette Shyres robi się czarna. Gdzieś dalej, na West End, rozległ się głośny wybuch – to chyba poszły główne zbiorniki – ale nawet tego nie zauważyłam. Rozejrzałam się dookoła i zobaczyłam, że zostałam sama. Wszyscy inni albo uciekli, albo się spalili. Widziałam kilka ciał, może ze sześć. Wyglądały jak kupy starych szmat. Jeden z kabli spadł na ganek jakiegoś domu po lewej stronie ulicy i dom zajął się ogniem. Słyszałam, jak staroświeckie zasłony z koralików strzelają w ogniu niby prażona kukurydza. Wydawało mi się, że stoję tak od dawna, powtarzając sobie, że nie wolno mi tracić głowy. Wydawało mi się, że minęło wiele godzin. Zaczęłam się bać, że zemdleję i upadnę na jeden z tych kabli albo że wpadnę w panikę i zacznę uciekać. Jak... jak Georgette. Więc zaczęłam iść przed siebie. Krok po kroku. Na ulicy zrobiło się jeszcze jaśniej od tego płonącego domu. Przestąpiłam przez dwa poruszające się kable i obeszłam jakieś ciało, z którego została tylko kupa łachmanów. Ja... ja musiałam patrzeć, gdzie stawiam nogi. Te zwłoki miały obrączkę na palcu, ale poza tym były całe czarne. Całe czarne. Jezu Chryste, pomyślałam. Dobry Boże. Przestąpiłam przez następny kabel, a potem zobaczyłam trzy obok siebie. Stanęłam i tylko na nie patrzyłam. Pomyślałam, że jak zrobię krok nad nimi, wszystko będzie dobrze, ale... nie mogłam się odważyć. Wie pan, o czym myślałam? O tej zabawie, w którą się bawiliśmy, kiedy byliśmy dziećmi, zabawie w Wielkie Kroki. W mojej głowie jakiś głos mówił: Cora, zrób jeden wielki krok. A ja myślałam: Czy mogę? Czy mogę? Jeden kabel nadal sypał iskrami, a pozostałe dwa wyglądały na odłączone. Ale nigdy nie wiadomo. Ten trzeci przewód też wyglądał tak, jakby nie był pod napięciem. No więc stałam tak i czekałam, żeby ktoś przyszedł, ale nikt nie przychodził. Dom się palił przez cały czas. Ogień przerzucił się na trawnik, na drzewa i żywopłot. Ale straż pożarna się nie zjawiła. Oczywiście nie mogli przyjechać. Do tej pory pożar ogarnął już całą zachodnią stronę miasta. Czułam, że zaraz zemdleję. I w końcu zrozumiałam, że albo zaraz zrobię ten wielki krok, albo będzie po mnie. Więc go zrobiłam, największy krok, jaki zdołałam. Oparłam stopę na ziemi niecały cal od ostatniego przewodu. Potem zrobiłam następny krok, obeszłam jeszcze jeden kabel, a potem zaczęłam biec. I to wszystko, co pamiętam. Kiedy nadszedł świt, leżałam na kocu

na posterunku policji, a obok mnie inni ludzie. Niektórzy z nich – kilkoro – to byli uczniowie w balowych strojach. Zaczęłam ich wypytywać, czy widzieli Rhondę. A oni powiedzieli... p-p-powiedzieli...
(Krótka przerwa)
P: Czy jest pani osobiście przekonana, że to się stało za przyczyną Carrie White?
O: Tak.
P: Dziękujemy pani, pani Simard.
O: Chciałam o coś zapytać, jeśli można.
P: Oczywiście.
O: Co się stanie, jeśli jest więcej takich jak ona? Co się stanie ze światem?

Nadejście cienia (s. 151):
Przed godziną 0.45 28 maja sytuacja w Chamberlain stała się krytyczna. Szkoła, położona z dala od innych budynków, wypaliła się sama do końca, ale śródmieście nadal stało w ogniu. Niemal cała woda z miejskich wodociągów została zużyta. Na szczęście w ujęciu wodnym na Deighan Street znajdowała się wystarczająca ilość wody (pod niskim ciśnieniem), żeby uratować budynki stojące powyżej skrzyżowania Main Street i Oak Street.

Eksplozja stacji benzynowej Citgo, stojącej przy końcu Summer Street, wywołała gwałtowny pożar, który opanowano dopiero około dziesiątej rano. Summer Street nie została pozbawiona wody; po prostu nie było strażaków ani sprzętu przeciwpożarowego, żeby wodę skierować na ogień. Sprzęt zaczęto już ściągać z Lewiston, Auburn, Lisbon i Brunswick, ale do godziny pierwszej nic jeszcze nie nadeszło.

Na Carlin Street wybuchł pożar wywołany przez zerwane ze słupów przewody elektryczne. Miał on zniszczyć całą północną stronę ulicy włącznie z bungalowem, w którym Margaret White urodziła swoją córkę.

W zachodniej części miasta, w pobliżu miejsca zwanego potocznie Brickyard Hill, wydarzyła się największa katastrofa: eksplozja głównych zbiorników paliwa i w następstwie tego pożar, który nie dawał się opanować niemal przez cały następny dzień.

A jeśli spojrzymy na plan miasta i odnajdziemy te punkty zapalne (patrz następna strona), będziemy mogli prześledzić całą trasę Carrie – krętą, zapętlającą się ścieżkę, po której szła, siejąc wokół zniszczenie i nieuchronnie zbliżając się do jednego celu: do domu...

Coś upadło z hukiem w salonie. Margaret White wyprostowała się, przechylając głowę na bok. Rzeźnicki nóż połyskiwał mgliście w blasku płomieni. Elektryczności nie było już od jakiegoś czasu i dom rozświetlał tylko odblask pożaru z ulicy. Jeden z obrazów spadł ze ściany i głucho stuknął o podłogę.

W chwilę później spadł bawarski zegar z kukułką. Mechaniczny ptak wydał z siebie zduszony skrzek i umilkł.

Na zewnątrz syreny zawodziły bez końca, ale mimo to słyszała kroki na ścieżce prowadzącej do drzwi.

Drzwi otwarły się. Kroki w korytarzu.

Słyszała, jak gipsowe tabliczki w salonie (Chrystus, Niewidzialny Gość; Naśladuj Jezusa; Godzina próby; Bądź gotów na Dzień Sądu) eksplodują jedna po drugiej niby gipsowe ptaki na strzelnicy.

(o tak byłam tam i widziałam jak nierządnice tańczą shimmy na drewnianej scenie)

Usiadła na swoim wysokim stołku, niczym wyjątkowo pilny uczeń, który został wyróżniony przed całą klasą, ale w oczach miała szaleństwo.

Szyby w oknach salonu wyleciały na zewnątrz.

Drzwi kuchni otwarły się z rozmachem i weszła Carrie. Jej ciało zapadło się w sobie i skurczyło jakby ze starości.

Balowa suknia wisiała na niej w strzępach, sztywna od zaschniętej świńskiej krwi. Na czole miała smugę smaru, a oba kolana były otarte do żywego mięsa.

– Mamo – szepnęła. Oczy miała nienaturalnie jasne i bystre, jak oczy sokoła, ale usta jej drżały. Gdyby ktokolwiek obserwował ją w tej chwili, niewątpliwie uderzyłoby go jej podobieństwo do matki.

Margaret White siedziała bez ruchu na kuchennym stołku, ukrywając naostrzony nóż w fałdach spódnicy.

– Powinnam była się zabić, jak mi to wsadził – powiedziała wyraźnie. – Po tym pierwszym razie, zanim się pobraliśmy, obiecał mi. Nigdy więcej. Powiedział, że tylko... zbłądziliśmy. Wierzyłam mu. Upadłam i straciłam dziecko, i to był palec boży. Czułam, że grzech został odkupiony. Przez krew. Ale grzech nigdy nie umiera. Grzech... nigdy... nie umiera. – Jej oczy błyszczały.

– Mamo, ja...

– Z początku było dobrze. Żyliśmy bez grzechu. Sypialiśmy w jednym łóżku, czasem bardzo blisko siebie, i och, czułam obecność Węża, ale nigdy tego nie zrobiliśmy, dopóki... – Zaczęła się uśmiechać strasznym twardym uśmiechem. – A tamtej nocy zobaczyłam, że on patrzy na mnie w ten sposób. Upadliśmy na kolana i modliliśmy się o siłę i o wytrwanie i on... dotknął mnie. W to miejsce. W to kobiece miejsce. A ja wyrzuciłam go z domu. Nie było go przez wiele godzin. Modliłam się za niego. Oczyma duszy widziałam, jak chodzi po pustych ulicach i zmaga się z szatanem, tak jak Jakub zmagał się z aniołem. A kiedy wrócił, moje serce przepełnione było wdzięcznością.

Urwała, rozciągając wargi w upiornym uśmiechu. Kuchnię wypełniały pląsające cienie.

– Mamo, ja nie chcę tego słuchać!

Talerze zaczęły pękać w kredensie jak gliniane gołębie.

– Dopiero kiedy wszedł do środka, poczułam whisky w jego oddechu. A potem wziął mnie. Wziął mnie! Kiedy jeszcze śmierdział podłą whisky z jakiejś brudnej knajpy, wziął mnie... i to mi się spodobało! – Wykrzyczała ostatnie słowa do sufitu. – Spodobało mi się całe to ohydne pierdolenie i jego ręce na moim ciele, wszędzie na moim ciele!

– Mamo!

(mamo!!!)

Margaret umilkła nagle, jakby ktoś dał jej w twarz, i zerknęła z ukosa na córkę.

– O mało się wtedy nie zabiłam – powiedziała już normalniejszym tonem. – A Ralph płakał i mówił o pokucie, i nie umarłam, a potem on umarł, a potem myślałam, że Bóg zesłał na mnie raka; że zmienia moje kobiece części ciała, żeby były tak samo czarne i przegniłe jak moja grzeszna dusza. Ale to by było zbyt łatwe. Niezbadane są wyroki Pańskie, niezgłębione Jego cuda. Teraz to rozumiem. Kiedy zaczęły się bóle, poszłam i wzięłam nóż, ten nóż – podniosła go do góry – i czekałam na ciebie, żeby spełnić swoją ofiarę. Ale byłam słaba i grzeszna. Wzięłam ten nóż do ręki znowu, kiedy miałaś trzy lata, i znowu się cofnęłam. Więc teraz diabeł powrócił.

Carrie powoli, niepewnie postąpiła krok do przodu.

– Mamo, przyszłam, żeby cię zabić. A ty tu czekałaś, żeby zabić mnie. Mamo, to... to nie powinno tak być, mamo. To nie powinno...

– Módlmy się – powiedziała cicho mama. Wpatrywała się uporczywie w Carrie, a w jej oczach malowało się jakieś okropne obłąkańcze współczucie. Na zewnątrz pojaśniało, cienie tańczyły na ścianach jak tłum derwiszów. – Po raz ostatni módlmy się.

– Och, mamo, pomóż mi! – wykrzyknęła Carrie.

Upadła na kolana z pochyloną głową, wznosząc ręce błagalnym gestem.

Mama wychyliła się do przodu. Nóż opadł, zakreślając w powietrzu migotliwy łuk.

Być może Carrie dostrzegła to kątem oka, gdyż rzuciła się gwałtownie do tyłu i nóż, zamiast wbić się jej w plecy, utkwił w ramieniu aż po rękojeść. Stopy mamy zaczepiły o nogi krzesła i Margaret z rozmachem usiadła na podłodze.

Patrzyły na siebie w zastygłym milczeniu.

Z rany wokół rękojeści noża zaczęła wypływać krew i skapywać na podłogę.

Potem Carrie powiedziała cicho:

– Chcę ci dać prezent, mamo.

Mama spróbowała wstać, zatoczyła się i opadła z powrotem na kolana, podpierając się rękami.

– Co ty robisz? – wychrypiała.

– Wyobrażam sobie twoje serce, mamo – powiedziała Carrie. – Łatwiej mi jest, kiedy widzę różne rzeczy w głowie. Twoje serce to wielki czerwony mięsień. Moje bije szybciej, kiedy używam swojej mocy. Ale twoje bije teraz trochę wolniej. Trochę wolniej.

Margaret ponownie spróbowała wstać, ale nie dała rady. Wystawiła dwa palce w geście chroniącym od złego uroku.

– Trochę wolniej, mamo. Czy wiesz, co to za prezent? To, czego zawsze pragnęłaś. Ciemność. Tam gdzie mieszka Bóg, czymkolwiek jest.

Margaret White wyszeptała:

– Ojcze nasz, któryś jest w niebie...

– Wolniej, mamo. Wolniej.

– ...święć się imię Twoje...

– Widzę, jak twoja krew przestaje płynąć. Wolniej.

– ...przyjdź królestwo Twoje...

– Twoje ręce i stopy są białe jak marmur, jak alabaster.

– ...bądź wola Twoja...

– Moja wola, mamo. Wolniej.

– ...jako w niebie...

– Wolniej.

– tak... tak... tak i...

Upadła na twarz. Jej dłonie zatrzepotały.

– ...tak i na ziemi.

Carrie szepnęła:

– Kropka.

Popatrzyła na ranę i niepewną ręką ujęła rękojeść noża.

(nie o nie to boli za bardzo boli)

Spróbowała wstać. Nie mogła. Wreszcie jakoś wstała, opierając się o stołek mamy. Kręciło jej się w głowie, napływały fale mdłości, w gardle czuła smak krwi, jasnej i czystej. Przez okna wpływał teraz do środka gryzący dym. Płomienie objęły już sąsiedni dom; na dach, na ten sam dach, który niegdyś tak brutalnie podziurawiły kamienie, spadały teraz iskry mżące łagodnym światłem.

Carrie wyszła z domu tylnymi drzwiami, zataczając się, przebrnęła przez podwórze i oparła się

(gdzie jest moja mama)

o drzewo. Pamiętała niejasno, że powinna jeszcze coś zrobić. Coś jakby

(motele parkingi)

anioł z mieczem. Z mieczem ognistym.

Nieważne. Przypomni sobie.

Przeszła przez podwórze do Willow Street, a potem wczołgała się na skarpę prowadzącą do szosy nr 6.

Była 1.15 w nocy.

Była 23.20, kiedy Christine Hargensen i Billy Nolan wrócili do „The Cavalier". Weszli schodami od tyłu, przekradli się przez korytarz do swojego pokoju i ledwie Chris zdążyła zapalić światło, Billy zaczął zdzierać z niej bluzkę.

– Na litość boską, pozwól mi to rozpiąć...

– Do cholery z tym.

Nagle chwycił bluzkę w garść i szarpnął mocno. Materiał rozdarł się z ostrym trzaskiem. Jeden guzik odskoczył i potoczył się po gołej drewnianej podłodze. Z dołu dochodziła stłumiona prymitywna, podniecająca muzyka. Cały budynek lekko dygotał od niezgrabnych, entuzjastycznych podskoków farmerów, młynarzy, kierowców ciężarówek, kelnerek i fryzjerek, młodocianych chuliganów i ich miejscowych przyjaciółek z Westover i Motton.

– Hej...

– Cicho bądź.

Trzepnął ją w twarz, aż głowa jej poleciała do tyłu. Spojrzała na niego z zimnym, zawziętym błyskiem w oku.

– To koniec, Billy. – Cofała się przed nim, kołysząc piersiami w staniku, płaski brzuch podnosił się i opadał, długie, smukłe nogi w dżinsach były sprężone jak do skoku; ale cofała się w stronę łóżka. – Skończone.

– Pewnie – odparł. Pochylił się ku niej, a wtedy Chris ze zdumiewającą siłą uderzyła go w policzek.

Wyprostował się i potrząsnął głową.

– Podbiłaś mi oko, ty dziwko.

– Dostaniesz jeszcze.

– Jasne, że dostanę.

Wpatrywali się w siebie z nienawiścią, dysząc ciężko. Potem Billy zaczął rozpinać koszulę. Na jego usta wypłynął nieznaczny uśmieszek.

– Robisz postępy, Charlie. Naprawdę robisz postępy. – Zawsze nazywał ją Charlie, kiedy był z niej zadowolony. Z nagłym przebłyskiem chłodnego rozbawienia pomyślała, że najwidoczniej jest to jakieś ogólne określenie na dobrą dupę.

Mimo woli sama również zaczęła się uśmiechać i trochę się odprężyła. W tej samej chwili Billy rzucił jej koszulę na twarz, z przysiadu rąbnął ją głową w brzuch jak kozioł i przewrócił na łóżko. Sprężyny jęknęły donośnie. Zaczęła bezsilnie tłuc go pięściami po plecach.

– Złaź ze mnie! Złaź ze mnie! Złaź ze mnie, ty śmierdzący chamie. Złaź ze mnie!

Wyszczerzył do niej zęby w uśmiechu i jednym szybkim, brutalnym ruchem rozerwał jej zamek w dżinsach, uwalniając biodra.

– Zawołasz tatusia? – mamrotał. – Tak? Gadaj! Zawołasz tatusia, mój kurczaczku? Co? Zawołasz swojego wielkiego tatusia prawusia? Co? Powinienem ciebie tym oblać, wiesz? Powinienem ci to wsadzić w pysk. Wiesz o tym? Co? Gadaj? Świńska krew dla świni, co? Prosto w pysk, no nie? Ty...

Chris nagle przestała walczyć. Billy zamilkł i popatrzył na nią. Dziwaczny uśmieszek błądził po jej twarzy.

– Cały czas chciałeś w ten sposób, co? Ty nędzny gnojku. Cały czas, prawda? Ty biedny, żałosny, załgany kutasie.

Powoli wyszczerzył zęby w obłąkańczym grymasie.

– To nieważne.

– Tak – przyznała. – Nieważne. – Uśmiech nagle zniknął z jej twarzy. Odchyliła głowę do tyłu, aż żyły wystąpiły jej na szyi – i plunęła mu w twarz.

Zapadli w czerwoną, huczącą otchłań zapomnienia. Na dole orkiestra łomotała i sapała dychawicznie (Łykam małe białe pigułki, co nie dają zasnąć nikomu. Sześć dni jestem w drodze, ale dziś wieczór będę w domu!) pełną parą, bardzo głośno, bardzo źle, pięcioosobowy zespół w kowbojskich koszulach naszywanych cekinami i nowych zwężanych do dołu dżinsach nabijanych błyszczącymi ćwiekami, od czasu do czasu ocierający z czoła pot zmieszany z brylantyną, gitara prowadząca, gitara rytmiczna, gitara stalowa, gitara dobro, perkusja. Nikt nie słyszał miejskiej syreny ani pierwszej eksplozji, ani drugiej; a kiedy wybuchły zbiorniki paliwa i muzyka przestała grać, a potem ktoś wjechał na parking i zaczął wywrzaskiwać przerażające nowiny, Chris i Billy spali.

Chris obudziła się nagle. Budzik na nocnym stoliku wskazywał pięć po pierwszej. Ktoś się dobijał do drzwi.

– Billy! – wrzeszczał jakiś głos. – Hej, Billy! Wstawaj!

Billy poruszył się, przekręcił na brzuch, złapał tani budzik i cisnął go na podłogę.

– Co do cholery? – powiedział ochryple i usiadł. Plecy go zapiekły. Ta dziwka porządnie go podrapała. Wtedy ledwie to zauważył, ale teraz postanowił, że tak ją załatwi, że nie będzie mogła dojść do domu. Po prostu, żeby jej pokazać, kto tu rzą...

Cisza uderzyła go jak obuchem. Cisza. „The Cavalier" nigdy nie zamykano przed drugą; i rzeczywiście przez zakurzone okno poddasza nadal widział mrugający neon. Ale poza jednostajnym, uporczywym łomotaniem do drzwi

(co się stało)

wszędzie było cicho jak w grobie.

– Billy, jesteś tam? Hej!

– Kto to jest? – szepnęła Chris. W migotliwym świetle neonu jej oczy były czujne i błyszczące.

– Jackie Talbot – odpowiedział nieuważnie; potem podniósł głos. – Co tam?

– Wpuść mnie, Billy. Muszę z tobą pomówić!

Billy wstał z łóżka, nago podszedł do drzwi i podniósł staroświecki haczyk.

Jackie Talbot wpadł do środka. Miał twarz wysmarowaną sadzą i dzikie spojrzenie. Popijał sobie w najlepsze z Henrym i Steve'em, kiedy gruchnęła ta wiadomość, za dziesięć dwunasta. Wrócili do miasta starym dodge'em limuzyną Henry'ego i z dogodnego punktu obserwacyjnego na Brickyard Hill widzieli wybuch zbiorników paliwa na Jackson Avenue. Zanim Jackie pożyczył dodge'a i ruszył z powrotem o wpół do pierwszej, w mieście rozpoczęła się już regularna jatka.

– Chamberlain się pali – poinformował Billy'ego. – Całe miasto, kurwa. Szkoła się spaliła. Centrum się spaliło. West End wyleciało w powietrze – benzyna. Na Carlin Street jest pożar. I mówią, że to zrobiła Carrie White!

– O Boże – jęknęła Chris. Zaczęła wyłazić z łóżka i po omacku szukać ubrania. – Co ona...

– Zamknij się – powiedział łagodnie Billy – bo cię kopnę w dupę. – Odwrócił się do Jackiego i kiwnął mu głową, żeby mówił dalej.

– Widzieli ją. Dużo ludzi ją widziało. Billy, oni mówią, że ona jest cała zakrwawiona. Kurwa, ona dzisiaj była na tym balu... Steve i Henry nic nie załapali, ale ja... Billy, czy ty... ta świńska krew... czy to...

– Właśnie – odparł Billy.

– Och, nie. – Jackie zatoczył się do tyłu na framugę drzwi, w świetle samotnej żarówki na korytarzu jego twarz miała chorobliwy żółty odcień. – O Jezu, Billy, całe miasto...

– Carrie spaliła całe miasto? Carrie White? Pieprzysz. – Powiedział to spokojnym, niemal przyjacielskim tonem. Za jego plecami Chris ubierała się w pośpiechu.

– Wyjrzyj przez okno – zaproponował mu Jackie.

Billy podszedł do okna i wyjrzał na zewnątrz. Cała wschodnia strona nieba powlokła się szkarłatem. Nad horyzontem unosił się krwawy poblask. Kiedy tak patrzył, trzy wozy straży pożarnej przemknęły obok z piskiem opon. W blasku latarni, które otaczały parking „The Cavalier”, zdołał odczytać napisy na wozach.

– O kurwa – mruknął. – Straż pożarna z Brunswick.

– Brunswick? – powtórzyła Chris. – Przecież to czterdzieści mil stąd. Niemożliwe, żeby...

Billy odwrócił się do Jackiego Talbota.

– No dobra. Co się stało?

Jackie potrząsnął głową.

– Nikt nie wie. Jeszcze nic nie wiadomo. To się zaczęło w szkole. Carrie i Tommy Ross zostali wybrani na króla i królową, a potem ktoś wylał na nich dwa wiadra krwi i ona uciekła. Później w szkole wybuchł pożar. Mówią, że nikt się nie uratował. Potem wyleciała w powietrze stacja benzynowa Teddy'ego Amoco, potem ta stacja Mobil na Summer Street...

– Citgo – sprostował Billy. – To jest stacja Citgo.

– Gówno mnie to obchodzi! – wrzasnął Jackie. –To była ona, za każdym razem to była ona! A te wiadra... żaden z nas nie miał rękawiczek...

– Ja to załatwię – oświadczył Billy.

– Nic nie kapujesz, Billy. Carrie jest...

– Zjeżdżaj.

– Billy...

– Zjeżdżaj, bo ci nogi z dupy powyrywam.

Jackie przezornie wycofał się na korytarz.

– Idź do domu. Z nikim nie rozmawiaj. Ja to wszystko załatwię.

– W porządku – powiedział Jackie. – Okay, Billy. Ja tylko myślałem...

Billy zatrzasnął mu drzwi przed nosem.

W ciągu sekundy Chris była przy nim.

– Billy co my zrobimy ta dziwka Carrie o mój Boże co my zrobimy...

Billy trzasnął ją w twarz, wkładając w to całą siłę. Chris z rozmachem siadła na podłodze, przez chwilę milczała oszołomiona, a potem zakryła twarz rękami i zaczęła szlochać.

Billy nałożył spodnie, buty i podkoszulek. Potem podszedł do wyszczerbionej porcelanowej umywalki w kącie, zapalił światło, zmoczył głowę i zaczął się czesać, nachylając się, żeby zobaczyć swoje odbicie w wiekowym, pokrytym plamami lustrze. Za jego plecami Chris nadal siedziała na podłodze i krzywiąc się ostrożnie, wycierała krew z rozciętej wargi.

– Powiem ci, co zrobimy – odezwał się Billy. – Pojedziemy do miasta i będziemy oglądać pożar. Potem wrócimy do domu. Powiesz swojemu kochanemu tatusiowi, że kiedy to się stało, piliśmy piwo w „The Cavalier". Ja powiem to samo mojej kochanej mamusi. Łapiesz?

– Billy, twoje odciski palców – przypomniała mu głosem zniekształconym przez napuchniętą wargę, ale pełnym szacunku.

– Ich odciski palców – odparł. – Ja miałem rękawiczki.

– A jeśli będą sypać? – zapytała. – Jeśli policja złapie ich i przesłucha...

– Jasne – mruknął. – Będą sypać. – Loki i fale prawie już się ułożyły. Połyskiwały w mdłym świetle lampy upstrzonej przez muchy jak wiry w głębokiej wodzie. Twarz miał spokojną i odprężoną. Grzebień, którym się czesał, był stary i zniszczony, lepki od brudu. Dostał go od ojca na jedenaste urodziny i ani jeden ząb nie był jeszcze złamany. Ani jeden.

– Może nigdy nie znajdą tych wiader – powiedział. – A nawet jeżeli je znajdą, może wszystkie odciski będą wypalone. Nie mam pojęcia. Ale jeśli Doyle zamknie któregoś z nich, pryskam do Kalifornii. Ty rób, co chcesz.

– Zabierzesz mnie ze sobą? – zapytała. Patrzyła na niego z podłogi proszącym wzrokiem, dolna warga spuchła jej do negroidalnych rozmiarów.

Uśmiechnął się.

– Może. – Ale nie miał zamiaru jej zabrać. To już skończone. – Chodź. Jedziemy do miasta.

Zbiegli po schodach i przeszli przez pustą salę taneczną, gdzie krzesła były poodsuwane, a na stolikach stały jeszcze kufle ze zwietrzałym piwem.

Kiedy wychodzili awaryjnym wyjściem, Billy oświadczył:

– I tak już mam dosyć tego zasranego miasta.

Wsiedli do jego samochodu i Billy zapuścił silnik. Kiedy włączył długie światła, Chris zaczęła krzyczeć, przyciskając pięści do policzków.

Billy poczuł to w tej samej chwili: coś w umyśle
(carrie carrie carrie carrie)
jakąś obecność.

Przed nimi, w odległości może siedemdziesięciu stóp, stała Carrie.

Reflektory samochodu oblewały ją upiornym blaskiem, jak w czarno-białym filmie grozy. Cała była zakrwawiona, ociekała krwią, teraz już głównie własną. Z ramienia sterczała jej rękojeść rzeźnickiego noża, a sukienka była brudna i pozieleniała od trawy. Czołgała się przez większą część drogi z Carlin Street, niemal tracąc przytomność, czołgała się, żeby zniszczyć to miejsce – miejsce, z którym być może przeznaczenie związało jej los.

Stała, chwiejąc się na nogach i wyciągając ręce przed siebie, jak hipnotyzer na scenie, a potem zaczęła zbliżać się do nich małymi, niepewnymi kroczkami.

To wszystko trwało zaledwie ułamek sekundy. Chris nie zdążyła nawet krzyknąć, Billy miał świetny refleks i zareagował z błyskawiczną szybkością. Wrzucił jedynkę, puścił sprzęgło i dodał gazu. Opony chevroleta zapiszczały na asfalcie i samochód skoczył do przodu z morderczym pośpiechem, niczym straszliwy stary ludożerca. Postać za przednią szybą urosła, a wtedy obecność stała się głośniejsza

(carrie carrie carrie carrie)

jeszcze głośniejsza

(carrie carrie carrie carrie)

jak radio podkręcone na pełną moc. Czas jakby się zamknął wokół nich i na chwilę zastygli w bezruchu, mimo że przecież się poruszali: Billy

(carrie całkiem jak te psy carrie całkiem jak te cholerne psy carrie bruce chciałbym carrie być na carrie twoim miejscu)

i Chris

(carrie jezu nie chciałam jej zabić carrie nie chciałam jej zabić carrie billy ja carrie nie chcę carrie tego widzieć ca)

i sama Carrie.

(widzę kierownicę samochód gaz pedał kierownica widzę kierownicę o boże moje serce moje serce moje serce)

I nagle Billy poczuł, że samochód ożył i zdradziecko wymyka mu się z rąk. W kłębach dymu z rury wydechowej chevrolet zawrócił ostro o sto osiemdziesiąt stopni. Oszalowana deskami ściana „The Cavalier" nagle zaczęła rosnąć, rosnąć, rosnąć, aż

(to jest)

wpadli na nią z szybkością czterdziestu mil na godzinę, wciąż przyspieszając. Drewno rozprysło się dookoła. Neon strzelił i zgasł. Billy poleciał do przodu i wbił się na kolumnę kierownicy. Chris rzuciło na tablicę rozdzielczą.

Zbiornik na benzynę pękł; paliwo zaczęło wyciekać, tworząc kałużę przy tylnych kołach samochodu. Kawałek rury wydechowej wpadł do kałuży i benzyna strzeliła płomieniem.

Carrie leżała na boku z zamkniętymi oczami, oddychając z wysiłkiem. W piersiach czuła ogień. Zaczęła się czołgać przez parking, sama nie wiedząc, dokąd zmierza.

(mamo przepraszam wszystko się zepsuło o mamo proszę o proszę to boli tak bardzo boli mamo co ja robię)

I nagle to wszystko stało się nieważne, wszystko się stało nieważne, gdyby tylko mogła odwrócić się na plecy, odwrócić się i zobaczyć gwiazdy, odwrócić się, spojrzeć raz i umrzeć.

I tak ją znalazła Sue o drugiej nad ranem.

Kiedy szeryf Doyle odjechał, Sue przeszła kawałek ulicą i przysiadła na stopniach pralni samoobsługowej „Wypierz sam". Patrzyła niewidzącym wzrokiem na płonące niebo. Tommy zginął. Wiedziała, że to prawda, i pogodziła się z tym z łatwością, która ją samą przerażała.

A zrobiła to Carrie.

Nie miała pojęcia, skąd o tym wie, ale była całkowicie przekonana, że się nie myli, jakby przeprowadziła ścisły matematyczny dowód.

Czas mijał. To nie miało znaczenia. Makbet zamordował sen, a Carrie zamordowała czas. Całkiem nieźle. Sue uśmiechnęła się smutno nad swoim bon mot. Czy to oznacza koniec naszej małej bohaterki? Koniec ze słodkim, niewinnym dziewczątkiem? Teraz już nie trzeba się martwić o podmiejski klub i willę w najlepszej dzielnicy. Już nigdy. Wszystko się skończyło. Wszystko się wypaliło. Jakiś człowiek przebiegł obok niej, bełkocząc, że Carlin Street się pali. To dobrze, że Carlin Street się pali. Tommy odszedł na zawsze. A Carrie poszła do domu, żeby zamordować swoją matkę.

(?????????????)

Usiadła wyprostowana jak struna, wpatrując się w ciemność.

(?????????????)

Nie rozumiała, skąd o tym wie. To nie przypominało niczego, co kiedykolwiek czytała o telepatii. W jej głowie nie pojawiły się żadne obrazy, nie było żadnych oślepiających błysków objawienia – tylko prozaiczna wiedza, taka jak wtedy, gdy się wie, że po wiośnie przychodzi lato, że można umrzeć na raka, że matka Carrie już nie żyje, że...

(!!!!!!!!!!!!!!)

Serce podeszło jej gwałtownie do gardła. Nie żyje? Jeszcze raz sprawdziła w myślach wszystko, co na ten temat wiedziała, starając się nie myśleć o tym, jak niesamowite to było uczucie: wiedzieć coś nie wiadomo skąd.

Tak, Margaret White nie żyła, to miało jakiś związek z sercem. Ale przedtem pchnęła Carrie nożem. Carrie była ciężko ranna. Była...

To wszystko.

Zerwała się na nogi i pobiegła z powrotem do samochodu. Przed dziesięcioma minutami zaparkowała go na rogu Branch Street i Carlin Street, która się paliła. Wozy strażackie jeszcze nie przyjechały, ale ulica z obu końców została już zagrodzona płotkami, a na okopconych tłustą sadzą śmietnikach wisiała tablica: „Uwaga! Przewody pod napięciem!".

Sue przekradła się przez dwa podwórza na tyłach domów i przedarła się przez gęsty, okryty pączkami żywopłot, który drapał ją sztywnymi gałązkami. Znalazła się na podwórku sąsiadującym z posesją White'ów. Podeszła bliżej.

Dom płonął. Płomienie strzelały z dachu. Nie można było nawet zbliżyć się na tyle, żeby zajrzeć do środka. Ale w jasnym blasku ognia zobaczyła coś lepszego: rozbryźnięte krople krwi znaczące drogę Carrie. Z opuszczoną głową ruszyła tym tropem, minęła większą plamę w miejscu, gdzie Carrie odpoczywała, przelazła przez następny żywopłot, przeszła na drugą stronę Willow Street i zapuściła się w gęste zarośla karłowatych sosen i dębów. W głębi krótka, niebrukowana alejka – trochę więcej niż ścieżka – wspinała się zakosami na niewielkie wzniesienie po prawej, prowadzące do szosy nr 6.

Zatrzymała się nagle, uderzona pewną myślą. Ogarnęły ją wątpliwości. Przypuśćmy, że znajdzie Carrie. Co wtedy? Dostanie ataku serca? Zacznie się palić? Zostanie wepchnięta pod nadjeżdżający samochód albo wóz straży pożarnej?

Owa szczególna wiedza podpowiadała jej, że Carrie mogłaby to wszystko zrobić.

(trzeba poszukać policjanta)

Zachichotała krótko, kiedy zrozumiała, o czym myśli, i usiadła w trawie jedwabistej od rosy. Spotkała już wcześniej policjanta. A nawet zakładając, że Otis Doyle jej uwierzy, to co dalej? Wyobraziła sobie setkę zdesperowanych tropicieli otaczających Carrie i żądających, żeby się poddała i rzuciła broń. Carrie posłusznie podnosi ręce, zdejmuje głowę z ramion i podaje ją szeryfowi Doyle'owi, który starannie umieszcza głowę w wiklinowym koszyku oznaczonym napisem „Dowód rzeczowy A".

(a tommy nie żyje)

No, no. Zaczęła płakać. Szlochała, zakrywając twarz rękami. Lekki powiew wiatru zaszeleścił w krzakach jałowców na szczycie wzgórza. Szosą nr 6 przejeżdżały z wyciem syren następne wozy strażackie jak wielkie, czerwone ogary pędzące przez noc.

(miasto się spali to dobrze)

Nie wiedziała, jak długo tak siedziała, na pół drzemiąc i popłakując od czasu do czasu. Nie zdawała sobie nawet sprawy, że przez cały czas śledzi wędrówkę Carrie do „The Cavalier", tak samo jak nie zdawała sobie sprawy, że oddycha. Carrie była bardzo ciężko ranna, wlokła się dalej podtrzymywana tylko tępym, zwierzęcym uporem. Do „The Cavalier" były trzy mile, nawet na skróty. Sue – zobaczyła? poczuła? nieważne – jak Carrie wpadła do strumienia i wydostała się na brzeg przemoczona, zmarznięta i dygocząca. A jednak szła dalej. To było naprawdę zadziwiające. Tylko że oczywiście robiła to dla mamy. Mama chciała, żeby Carrie stała się Aniołem z Ognistym Mieczem, żeby zniszczyła...

(ona chce to zniszczyć)

Sue wstała i zaczęła ociężale biec przed siebie, nie zwracając więcej uwagi na ślady krwi. Nie były już jej potrzebne.

Nadejście cienia (s. 164–165):
Cokolwiek można powiedzieć o sprawie Carrie White, to się skończyło. Czas pomyśleć o przyszłości. Jak słusznie zauważył

Dean McGuffin w swoim znakomitym artykule zamieszczonym w „Przeglądzie Naukowym", jeśli zlekceważymy tę sprawę, prawie na pewno będziemy musieli za to zapłacić – a cena będzie wysoka.

Powstaje tu drażliwa kwestia moralna. Poczyniono już pewne postępy na drodze całkowitego wyodrębnienia genu TK. W kołach naukowych zapewnia się (patrz np. artykuł Bourke'a i Hannegana „Parę uwag na temat problemu wyodrębnienia genu TK ze specjalnym uwzględnieniem parametrów kontrolnych", zamieszczony w „Przeglądzie Mikrobiologicznym", Berkeley 1982), że kiedy test zostanie opracowany, wszystkie dzieci w wieku szkolnym będą mu poddawane rutynowo, podobnie jak poddawane są próbie tuberkulinowej. Jednakże TK nie jest bakcylem; stanowi on równie niezmienną cechę danej osoby jak kolor oczu.

Jeśli założymy, że ujawnienie zdolności TK wiąże się z osiągnięciem dojrzałości płciowej, i jeśli ów hipotetyczny test będzie przeprowadzany we wszystkich szkołach podstawowych, to bez wątpienia zostaniemy zawczasu ostrzeżeni. Czy jednak w tym wypadku „ostrzeżeni" oznacza „zabezpieczeni"? Jeśli próba tuberkulinowa da wynik dodatni, dziecko może być leczone lub odizolowane od innych. Jeśli dodatni okaże się wynik testu TK, nie możemy zaproponować żadnego sposobu leczenia poza kulą w łeb. A w jaki sposób można odizolować osobę, która dysponuje siłą zdolną zwalić wszystkie mury?

Zresztą gdyby to nawet było możliwe, czyż obywatele amerykańscy pozwolą na to, żeby małą, śliczną dziewczynkę oderwać od rodziców przy pierwszych oznakach dojrzałości i zamknąć w podziemiach jakiegoś bunkra na resztę życia? Bardzo wątpię. Szczególnie teraz, kiedy Biała Komisja dołożyła wszelkich starań, żeby przekonać ogół, że koszmar w Chamberlain wydarzył się jedynie na skutek nieszczęśliwego zbiegu okoliczności.

W istocie wydaje się, że powróciliśmy do punktu wyjścia...

Fragment zaprzysiężonego zeznania panny Susan Snell, złożonego przed Komisją Śledczą Stanu Maine (*Raport Białej Komisji*), s. 306–472:

P: A teraz, panno Snell, Komisja chciałaby powrócić do pani wcześniejszych zeznań w punkcie dotyczącym pani rzekomego spotkania z Carrie White na parkingu „The Cavalier"...

O: Dlaczego ciągle zadajecie mi te same pytania? Opowiadałam to już dwa razy.

P: Chcemy mieć pewność, że nie pomyliła się pani w żadnym...

O: Chcecie mnie przyłapać na kłamstwie, to pan miał na myśli? Nie wierzycie, że mówię prawdę, tak?

P: Zeznała pani wcześniej, że znalazła pani Carrie o...

O: Czy odpowie pan na moje pytanie?

P: ...o drugiej nad ranem dwudziestego dziewiątego maja. Zgadza się?

O: Nie zamierzam odpowiadać na żadne pytania, dopóki pan mi nie odpowie.

P: Panno Snell, ostrzegam, że komisja ma prawo podać panią do sądu, jeśli odmówi pani zeznań z jakichkolwiek powodów poza przypadkami wymienionymi w konstytucji.

O: Nie obchodzi mnie, do czego macie prawo. Straciłam kogoś, kogo kochałam. Proszę bardzo, wsadźcie mnie do więzienia. Wszystko mi jedno. Ja... ja... och, idźcie do diabła. Idźcie wszyscy do diabła. Chcecie mnie... nie wiem, ukrzyżować czy co. Odczepcie się ode mnie!

(krótka przerwa)

P: Panno Snell, czy może pani już zeznawać dalej?

O: Tak, panie przewodniczący. Ale pod warunkiem, że przestaniecie się nade mną znęcać.

P: Młoda damo, nikt tu nie zamierza się nad panią znęcać. Więc twierdzi pani, że znalazła pani Carrie White na parkingu tego motelu o godzinie drugiej. Czy to się zgadza?

O: Tak.

P: Skąd pani wiedziała, która była wtedy godzina?

O: Miałam na ręku zegarek. Ten sam, który pan widzi w tej chwili.

P: Dla pewności: od miejsca, w którym zostawiła pani samochód matki, do „The Cavalier" jest ponad sześć mil, prawda?

O: Tylko szosą. W linii prostej około trzech mil.

P: Przeszła pani tę odległość?

O: Tak.

P: Następna sprawa: zeznała pani wcześniej, że pani „wiedziała", że zbliża się pani do Carrie. Czy może pani to wyjaśnić?

O: Nie.

P: Czy pani czuła jej zapach?

O: Co takiego?

P: Czy pani ją wywęszyła?

(śmiech na galerii)

O: Czy pan ze mnie kpi?

P: Proszę odpowiedzieć na pytanie.

O: Nie, nie wywęszyłam jej.

P: Czy pani ją zobaczyła?

O: Nie.

P: Usłyszała?

O: Nie.

P: Więc skąd pani wiedziała, gdzie ona jest?

O: A skąd wiedział Tom Quillan? Albo Cora Simard? Albo biedny Vic Mooney? Skąd oni wszyscy wiedzieli?

P: Proszę odpowiedzieć na pytanie, panno Snell. To nie jest czas ani miejsce na impertynencje.

O: Ale oni wszyscy mówili, że po prostu wiedzieli, prawda? Czytałam zeznania pani Simard! A hydranty przeciwpożarowe, które się same otwierały? A pompy benzynowe, w których się wyłamały zamki i które same się włączyły? A przewody elektryczne, które się zerwały ze słupów? A...

P: Panno Snell, proszę...

O: To wszystko macie w aktach!

P: Komisja nie zajmuje się tą kwestią.

O: Więc czym się zajmuje? Szukacie prawdy czy tylko jakiegoś kozła ofiarnego?

P: Zaprzecza pani, jakoby wiedziała pani wcześniej, gdzie pani znajdzie Carrie White?

O: Oczywiście, że zaprzeczam. To absurdalny pomysł.

P: O? A to dlaczego?

O: No, jeśli sugeruje pan, że istniała jakaś zmowa, to absurd, bo Carrie umierała, kiedy ją znalazłam. A mogę pana zapewnić, że to nie była lekka śmierć.

P: Jeśli nie wiedziała pani wcześniej, gdzie jest Carrie, to w jaki sposób trafiła pani dokładnie w to miejsce?

O: Och, co za dureń! Czy w ogóle słuchał pan tego, co się tu mówi? Wszyscy wiedzieli, że to była Carrie! Każdy mógł ją znaleźć, gdyby się na to nastawił.

P: Ale to właśnie pani ją znalazła. Czy może nam pani wyjaśnić, dlaczego, zgodnie z tym, co pani wcześniej powiedziała, ludzie nie zbiegli się do niej ze wszystkich stron jak opiłki przyciągane magnesem?

O: Ona szybko traciła siły. Myślę, że może... strefa jej oddziaływania zaczęła się kurczyć.

P: Chyba zgodzi się pani ze mną, że to jest tylko niczym nieuzasadnione przypuszczenie.

O: Oczywiście. W całej sprawie Carrie White mamy tylko niczym nieuzasadnione przypuszczenia.

P: No dobrze, panno Snell, niech pani kontynuuje. Chciałbym jeszcze wrócić do (...)

Z początku, kiedy wspięła się na skarpę pomiędzy łąką Henry'ego Draina a parkingiem „The Cavalier", pomyślała, że Carrie nie żyje. Leżała na środku parkingu, jej dziwacznie wykręcone ciało jakby się skurczyło. Sue przypomniały się martwe zwierzęta, które widywała na szosie 495 – skunksy, świszcze – rozjechane przez pędzące ciężarówki i furgonetki. Ale w myślach nadal czuła tę natrętną, wibrującą obecność, powtarzającą bez końca imię Carrie, ponawiającą wezwanie. Sama esencja Carrie, *gestalt*. Przytłumiona, niewyraźna emanacja, już nie silna i nieprzerwana, ale narastająca i zanikająca w regularnych odstępach czasu.

Carrie była nieprzytomna.

Sue wspięła się na niewysoki murek wyznaczający granicę parkingu, czując, jak twarz ją pali od gorąca. Budynek „The Cavalier" był oszalowany deskami i zajął się błyskawicznie. Na prawo od wejścia wśród płomieni można było dostrzec zwęglone szczątki samochodu. To zrobiła Carrie. Sue nie zamierzała sprawdzać, czy w samochodzie ktoś został. Teraz to nie miało znaczenia.

Podchodząc do leżącej na boku Carrie, nie słyszała własnych kroków, zagłuszonych żarłocznym trzaskiem płomieni. Popatrzyła na skręconą postać z tępą, gorzką litością. Rękojeść noża sterczała groźnie z ramienia. Carrie leżała w kałuży własnej krwi; wąski strumyczek krwi nadal płynął z jej ust. Sądząc z ułożenia ciała, próbowała przewrócić się na plecy, kiedy straciła przytomność. Potrafiła wywołać pożar, zerwać przewody ze słupów, potrafiła zabijać niemal samą myślą, a teraz leżała bezradna i nie potrafiła nawet odwrócić się na plecy.

Sue uklękła obok, wzięła ją za rękę i za zdrowe ramię i delikatnie przewróciła na wznak.

Carrie jęknęła głośno. Powicki jej zatrzepotały. Emanacja odbierana przez Sue stała się wyraźniejsza, jakby obraz w jej umyśle wyostrzył się.

(kto to)

I Sue, nawet nie myśląc, odpowiedziała w taki sam sposób.

(ja sue snell)

Tylko że nie musiała wcale pomyśleć swojego imienia. Sama myśl wyrażająca jej tożsamość nie zawierała ani słów, ani wyrazów. Zrozumienie tego sprawiło, że wszystko nagle zaczęło do niej docierać wyraźniej, stało się bardziej rzeczywiste, i przez wywołane szokiem oszołomienie przebiło się współczucie dla Carrie.

A Carrie z tępym, odległym wyrzutem:

(oszukaliście mnie oszukaliście mnie wszyscy)

(carrie ja nawet nie wiem co się stało czy tommy)

(oszukaliście mnie to się stało kłamstwo kłamstwo kłamstwo podłe kłamstwo)

Ta mieszanina obrazów i emocji była wstrząsająca, nie do opisania. Krew. Smutek. Strach. Ostatnie podłe kłamstwo z całej długiej serii podłych kłamstw. Obrazy przelatywały z szaleńczą szybkością, przyprawiając Sue o zawrót głowy, aż w końcu jej umysł zaczął wirować wraz z nimi, bezradnie, beznadziejnie. Teraz każda z nich wiedziała o drugiej wszystko, i to było okropne.

(carrie przestań przestań przestań to boli)

Dziewczęta rzucały sanitarne tampony, śmiały się, wrzeszczały. Sue zobaczyła jak w lustrze własną twarz, brzydką, o karykaturalnie powiększonych ustach, promieniującą okrutną pięknością.

(patrz na te podłe żarty patrz całe moje życie to jeden wielki podły żart)

(spójrz carrie spójrz we mnie)

I Carrie spojrzała.

Wrażenie było przerażające. Jej umysł i układ nerwowy stały się biblioteką, przez którą ktoś biegł w desperackim pośpiechu, przesuwając palce wzdłuż półek z książkami, wyciągając niektóre z nich, przerzucając niedbale i odstawiając na miejsce, czasami pozwalając im upaść na ziemię, gdzie leżały, trzepocząc dziko kartkami

(przelotne obrazy to ja kiedy byłam dzieckiem nienawidzę go tata o mamo szerokie usta zęby bobby popchnął mnie o moje kolano samochód chcę jechać samochodem jedziemy z wizytą do cioci cecily mamo chodź szybko zrobiłam siusiu)

w nagłym podmuchu, pędząc dalej i dalej, docierając w końcu do półki z nagłówkiem „Tommy", oznaczonej podtytułem „Bar". Książki otwierane z rozmachem, przebłyski wspomnień, notatki na marginesach, wszystkie poplątane hieroglify jej uczuć, bardziej skomplikowane niż Kamień z Rosetty.

Patrzyła. Znajdowała więcej, niż sama podejrzewała – miłość do Tommy'ego, zazdrość, egoizm, chęć podporządkowania go sobie w sprawie Carrie, pełna niesmaku złość na samą Carrie

(mogłaby trochę o siebie zadbać do cholery wygląda okropnie) nienawiść do panny Desjardin, nienawiść do samej siebie.

Ale nie było złej woli, nie było żadnego z góry uknutego spisku, żeby zwabić Carrie między ludzi i upokorzyć ją na oczach wszystkich. Nie życzyła Carrie źle.

Okropne uczucie, że ktoś gwałci jej najtajniejsze, najbardziej sekretne miejsca, zaczęło ustępować. Poczuła, że Carrie wycofuje się, słaba i wyczerpana.

(dlaczego nie zostawiłaś mnie w spokoju)

(carrie ja)

(mama by żyła zabiłam swoją mamę chcę do mamy o boli boli w piersiach ramię boli ooo chcę do mamy)

(carrie ja)

Ale nie potrafiła zakończyć tej myśli. Nie było nic do dodania. Obezwładniło ją nagłe przerażenie, tym gorsze, że nie umiała go nazwać. Krwawiący stwór na poplamionym olejem asfalcie stał się jej nagle obcy; cierpiał, umierał, i to było straszne.

(o mamo boję się mamo mamo)

Sue spróbowała się wycofać, odłączyć swój umysł i przynajmniej na chwilę pozostawić Carrie sam na sam z jej umieraniem – ale nie mogła. Czuła, że sama umiera. Nie chciała oglądać tego spektaklu własnej śmierci.

(carrie puść mnie)

(mamo mamo mamo oooooooooooo oooooooooooo)

Wrzask cierpiącego umysłu wybuchnął w niewiarygodnym crescendo i nagle zamarł. Przez chwilę Sue wydawało się, że patrzy na płomień świecy, który z olbrzymią szybkością oddala się długim, czarnym tunelem.

(ona umiera o mój boże czuję jak ona umiera)

A potem płomyk zgasł i ostatnia świadoma myśl

(mamo przepraszam gdzie)

urwała się w połowie, i Sue odbierała już tylko nic nieznaczące, idiotyczne drgania zakończeń nerwowych, które mogły trwać jeszcze przez wiele godzin.

Odeszła, zataczając się, macając przed sobą rękami jak ślepa. Dokuśtykała do końca parkingu, przelazła przez niski, sięgający do kolan murek i stoczyła się w dół po skarpie. Potem wstała i chwiejnie wkroczyła na łąkę okrytą tajemniczym białym oparem przygruntowej mgły. Łąka rozbrzmiewała graniem świerszczy, lelek

(lelek ktoś umarł)

odezwał się w wielkiej ciszy poranka.

Zaczęła biec, oddychając głęboko, pełną piersią, uciekając od Tommy'ego, od pożarów i wybuchów, od Carrie, ale przede wszystkim od tej ostatniej okropności – ostatniej jasnej myśli znikającej w czarnym tunelu wieczności, ostatniego rozbłysku, po którym był już tylko pusty, idiotyczny szum zwykłej elektryczności.

Powoli, opieszale, ten obraz, tkwiący w jej umyśle jak cierń, zaczął się rozpływać, pozostawiając po sobie błogosławioną, kojącą ciemność. Zwolniła, zatrzymała się i uświadomiła sobie, że zaraz coś się stanie. Stała pośród wielkiego, zasnutego mgłą pola, czekając, aż się spełni.

Stopniowo jej przyspieszony oddech uspokajał się, oddychała coraz wolniej, wolniej, nagle wciągnęła gwałtownie powietrze i wyrzuciła je z piersi w jednym wibrującym, przenikliwym krzyku.

I poczuła, jak po jej udach powoli zaczynają spływać pierwsze ciemne krople menstruacyjnej krwi.

CZĘŚĆ TRZECIA

Ruiny

SZPITAL MIŁOSIERDZIA W ANDOVER/KARTA CHOROBY

Nazwisko .... *White* Imię .... *Carietta* *N*
                                     (pierwsze)   (drugie)

Adres .... *47 Carlin Street Chamberlain Maine 02249* ....

Izba przyjęć .... *nie dotyczy* Ambulans *16*

Przebieg leczenia .... *nie dotyczy* D. O. A.* .... *X*
                                                    Tak   Nie

Czas zgonu .... *28 maja 1979–2.00 (w przybl.)* ....

Przyczyna śmierci .... *szok, wykrwawienie, niedrożność naczyń* ....
.... *wieńcowych i/lub skrzep (prawdopodobnie)* ....

Osoba identyfikująca zwłoki .... *Susan D. Snell* ....
.... *19 Back Chamberlain Road* ....
.... *Chamberlain, Maine 02249* ....

Najbliższy krewny .... *nie posiada* ....

Wydanie zwłok .... *władzom stanu Maine* ....
Lekarz prowadzący ....
Patolog ....

---

* D.O.A. – *dead on arrivel* (ang.) – stwierdzono zgon po przybyciu na miejsce wypadku.

Depesza nadesłana do Associated Press 5 czerwca 1979 roku:

Chamberlain, Maine (AP)

Władze stanowe podają, że liczba ofiar śmiertelnych w Chamberlain wynosi 409 osób. Ponadto 49 osób uznano za zaginione. Śledztwo w sprawie Carietty White oraz tak zwanego zjawiska TK utrudniają uporczywe plotki głoszące, iż sekcja zwłok White ujawniła pewne niezwykłe odchylenia od normy w budowie mózgu oraz móżdżku. Gubernator stanu powołał komisję lekarską, której zadaniem będzie dokładne zbadanie tego przypadku. Koniec. Ostatnie doniesienie. 5 czerwca 0303N AP

Artykuł zamieszczony w niedzielnym wydaniu „The Lewiston Daily Sun" 7 września (s. 3).

Spuścizna po TK: Miasto w żałobie i serca w żałobie

Chamberlain – Noc Zagłady przeszła już do historii. Mądrzy ludzie powtarzają od wieków, że czas leczy wszelkie rany, ale to małe miasteczko w zachodnim Maine otrzymało cios, który może się okazać śmiertelny. We wschodniej części miasta pozostały jeszcze nietknięte dzielnice mieszkaniowe, ulice ocienione przez majestatyczne dęby, które rosną tam od ponad dwustu lat, starannie przystrzyżone trawniki i okazałe zadbane rezydencje w wiejskim stylu na Morin Street i Brickyard Hill. Ale te sielskie obrazki nowoangielskiej architektury otaczają spalone i zdewastowane centrum miasta, i wiele ze starannie utrzymanych trawników nosi tabliczki z napisem: „Na sprzedaż". W domach, które nadal są zamieszkane, na drzwiach frontowych wiszą żałobne wstęgi. Jasnożółte furgonetki do przewozu mebli i pomarańczowe wozy transportowe różnych rozmiarów stały się w tych dniach codziennym widokiem na ulicach Chamberlain.

Największe zakłady przemysłowe w Chamberlain, Miejskie Tkalnie i Przędzalnie, nadal stoją, nietknięte przez pożar, który w maju w ciągu dwóch dni zniszczył większą część miasta. Jednakże od czwartego czerwca zakład pracuje tylko na jedną zmianę, a zgodnie z oświadczeniem dyrektora, pana Williama A. Chamblisa, możliwe są dalsze redukcje. „Mamy wiele zamówień – powiedział pan Chamblis – ale nie możemy ich wykonać z powodu braku personelu. Nie mamy ludzi. W okresie od 15 sierpnia wymówienia złożyło trzydziestu czterech pracowników. Jedyna rzecz, jaką możemy zrobić, to zamknąć farbiarnię i farbować materiały poza zakładem. Muszę dodać, że z największą niechęcią zwalniamy tych ludzi, ale niestety zmuszają nas do tego względy finansowe".

Roger Fearon mieszka w Chamberlain od dwudziestu lat i osiemnaście z tych lat przepracował w tkalni. W tym czasie awansował z prostego robotnika fizycznego, zarabiającego siedemdziesiąt trzy centy na godzinę, na stanowisko kierownika farbiarni, mimo to jednak zupełnie się nie przejmuje perspektywą utraty pracy. „Wiem, że nigdzie tyle nie zarobię – mówi Fearon. – Niełatwo się z tym pogodzić. Przedyskutowaliśmy to z żoną. Moglibyśmy sprzedać dom – wart jest co najmniej dwadzieścia tysięcy – i chociaż pewnie nie dostaniemy za niego nawet połowy tej sumy, to zawsze jakoś damy sobie radę. Ale nie o to chodzi. My po prostu nie chcemy już dłużej mieszkać w Chamberlain. Niech pan to rozumie, jak pan chce, ale my się tutaj po prostu źle czujemy".

Fearon nie jest odosobniony w swoich odczuciach. Henry Kelly, właściciel sklepu z wyrobami tytoniowymi i baru pod nazwą „Kelly Fruit", które zostały zrównane z ziemią w Noc Zagłady, nie zamierza odbudowywać interesu. „Nie ma już dzieciaków. – Wzrusza ramionami. – Gdybym znowu otworzył interes, pewnie zacząłbym widywać duchy w każdym kącie. Nie, wolę wyjechać. Podejmę ubezpieczenie i przeprowadzam się do St. Petersburga".

Kiedy w pięćdziesiątym czwartym Worcester nawiedziło tornado, siejąc wokół śmierć i zniszczenie, już w tydzień później miasto rozbrzmiewało dźwiękiem młotów, w powietrzu wisiał zapach świeżego drewna, wszędzie wyczuwało się optymizm i niezłomną wiarę w lepszą przyszłość. W Chamberlain panuje zupełnie inna atmosfera. Z głównej ulicy uprzątnięto wprawdzie gruzy, ale poza tym nie zrobiono nic, żeby zatrzeć ślady katastrofy. Twarze mieszkańców pełne są tępej, beznadziejnej rozpaczy. W barze Franka na rogu Sullivan Street mężczyźni piją piwo w ponurym milczeniu, a na progach domów kobiety opowiadają sobie żałosne historie. Chamberlain zostało wciągnięte na listę terenów dotkniętych klęską żywiołową i możliwe jest uzyskanie kredytów na odbudowę dzielnicy handlowej, dzięki czemu miasto mogłoby z powrotem stanąć na nogi.

Ale w ciągu ostatnich czterech miesięcy głównym zajęciem mieszkańców Chamberlain były pogrzeby.

Odnaleziono jak dotąd zwłoki czterystu czterdziestu osób, losy pozostałych osiemnastu nadal są nieznane. Sześćdziesiąt siedem ofiar śmiertelnych to uczniowie ostatnich klas Szkoły Średniej im. Ewena. Być może właśnie to, bardziej niż cokolwiek innego, ostatecznie złamało Chamberlain.

Uczniowie zostali pochowani 1 i 2 czerwca. Odbyły się wówczas trzy wielkie ceremonie pogrzebowe. 3 czerwca na miejskim placu celebrowano uroczystość ku czci ofiar wypadku. Była to najbardziej wzruszająca ceremonia, w jakiej reporter kiedykolwiek uczestniczył. Przybyły tysiące ludzi i wszyscy zachowywali absolutną ciszę, kiedy szkolna orkiestra, licząca teraz, zamiast pięćdziesięciu sześciu, zaledwie czterdziestu członków, odegrała hymn szkoły i capstrzyk.

W tydzień później w pobliskiej prywatnej szkole średniej w Motton odbyła się przygnębiająca ceremonia rozdawania świadectw maturalnych. Brało w niej udział pięćdziesięcioro dwoje pozostałych przy życiu maturzystów. Uczeń wygłaszający mowę pożegnalną, Henry Stampel, w połowie przemówienia wybuchnął płaczem i nie mógł mówić dalej. Po ceremonii nie było żadnego balu maturalnego. Absolwenci po prostu odebrali swoje świadectwa i poszli do domu.

W miarę jak mijało lato, odnajdywano coraz to nowe zwłoki i po mieście wciąż krążyły wozy pogrzebowe. Rany zaledwie zaczynały się zabliźniać, ale każdy dzień rozdrapywał je na nowo.

Jeśli czytelnik wiedziony ciekawością zapragnie odwiedzić Chamberlain, ujrzy umierające miasto, jakby toczone niewidzialnym rakiem. Nieliczni zagubieni przechodnie wałęsają się bez celu po ulicach. Kościół kongregacjonalistów na Carlin Street został strawiony przez pożar, ale na Elm Street stoi nadal ceglany kościół katolicki, a u wylotu Main Street – osmalony ogniem, lecz nie tknięty kościół metodystów. Mimo to jednak frekwencja jest niewielka. Starzy ludzie nadal przesiadują na ławkach na skwerku przed budynkiem sądu, ale nie grywają już w szachy i prawie nie rozmawiają.

Miasto sprawia wrażenie, jakby czekało na własną śmierć. Powiedzieć, że Chamberlain nigdy już nie będzie takie samo, to zbyt mało. Bliższe prawdy byłoby twierdzenie, że nigdy już nie będzie Chamberlain.

Wyjątek z listu dyrektora szkoły Henry'ego Grayle'a do naczelnika Wydziału Oświaty, Petera Philpotta (list datowany na dziewiątego czerwca):

...dlatego uważam, że nie mogę już dłużej zajmować tego stanowiska, skoro całej tej tragedii można było uniknąć, gdybym tylko był bardziej przewidujący. Chciałbym, żeby przyjął pan moją rezygnację od 1 lipca, jeśli to możliwe...

Wyjątek z listu Rity Desjardin, nauczycielki wychowania fizycznego, do dyrektora szkoły Henry'ego Grayle'a (list datowany na jedenastego czerwca):

...jednocześnie zwracam panu mój kontrakt. Czuję, że gdybym miała wrócić do zawodu nauczycielki, prędzej popełniłabym samobójstwo. Co noc powraca do mnie ta myśl: gdybym tylko wyciągnęła rękę do tej dziewczyny, gdybym tylko...

Napis na trawniku w miejscu, gdzie znajdował się bungalow państwa White'ów:

Carrie White smaży się w piekle za grzechy
Bóg jest wielki

Dean D. L. McGuffin: „Telekineza: Analiza i wnioski" (Przegląd Naukowy 1981):

W końcowych spostrzeżeniach chciałbym podkreślić, że odnośne władze podejmują wielkie ryzyko, odkładając do szuflady sprawę Carrie White – mówię tu przede wszystkim o tak zwanej Białej Komisji. Wydaje się, że politycy najchętniej uznaliby zjawisko TK za przypadek wyjątkowy i niepowtarzalny w historii. Postawa taka, choć zrozumiała, jest nie do przyjęcia. Z punktu widzenia genetyki prawdopodobieństwo ponownego wystąpienia tego zjawiska wynosi 99 procent. Powinniśmy być przygotowani na to, co może nastąpić...

John R. Coombs *Slang młodzieżowy: przewodnik dla rodziców* (The Livingstone Press, Nowy Jork 1985), s. 73:

Zrobić (kogoś, coś) na Carrie: 1) użyć przemocy, spowodować zniszczenie lub obrażenia ciała; 2) podpalić coś; podłożyć ogień (od Carrie White, 1963–1979).

Nadejście cienia (s. 201):
Wspomniałem wcześniej o notatce znalezionej w jednym z zeszytów szkolnych Carrie White. Były to dwie linijki pochodzące z utworu słynnego folkowego piosenkarza i barda lat sześćdziesiątych, Boba Dylana. Strofy te powtarzały się kilkakrotnie na całej stronie, jakby pisząca je osoba była wytrącona z równowagi.

Sądzę, że najwłaściwszym zakończeniem tej książki będzie fragment innej piosenki Boba Dylana, fragment, który może posłużyć za epitafium Carrie White:

> *Chciałabym zwykłą piosenką ukoić twój ból*
> *Zesłać ci zapomnienie, ukołysać do snu*
> *Od szaleństwa ocalić, lecz nie zda się na nic*
> *Twoja wiedza i za późno już*.*

Nazywam się Susan Snell (s. 98):
Ta książeczka jest już skończona. Mam nadzieję, że będzie się dobrze sprzedawać, bo wtedy będę mogła wyjechać w jakieś miejsce, gdzie nikt mnie nie zna. Muszę zastanowić się nad moim życiem, zdecydować, co będę robić przez ten czas, który mi pozostał, zanim moje światło zniknie w tym długim czarnym tunelu...

Fragment raportu Komisji Śledczej Stanu Maine dotyczącego wypadków, które wydarzyły się w dniach 27–28 maja w Chamberlain, Maine:
...z uwagi na to, że sekcja zwłok badanej ujawniła pewne zmiany komórkowe, które mogą wskazywać na obecność jakichś bliżej nieokreślonych paranormalnych zdolności, stwierdzamy z całą odpowiedzialnością, iż nie ma powodu przypuszczać, że ponowne wystąpienie tego zjawiska jest możliwe czy chociażby prawdopodobne...

Wyjątek z listu Amelii Jenks, Royal Knob, Tennessee, do Sandry Jens, Maiken, Georgia (list datowany na 3 maja 1988 roku):
...a Twoja mała siostrzeniczka rośnie jak na drożdżach, strasznie wyrosła jak na swoje dwa latka. Ma niebieskie oczy po tatu-

---

* I wish I could write you a melody so plain, / That would save you, dear lady, from going insane / That would ease you and cool you and cease the pain / Ot your useless and pointless knowledge... (Fragment piosenki Boba Dylana „Tombstone Blues").

siu i moje jasne włosy, ale pewnie jej zciemnieją. Strasznie z niej ładne dziecko i czasem myślę, kiedy śpi, jaka jest podobna do naszej mamy.

Jednego dnia kiedy się bawiła na podwurku wyjżałam i zobaczyłam strasznie śmieszną rzecz. Annie bawiła się marmórkami braci tylko że te marmórki same się ruszały. Annie się śmiała ale ja się troszkie przestraszyłam. No bo te marmórki podnosiły się i spadały. Pszypomniałam sobie babcię, pamientasz jak wtedy policaje przyszły po Pete'a i pistolety im wyleciały z rąk, a babcia tylko się śmiała. I jeszcze umiała ruszać swoim fotelem na biegunach nawet jak w nim nie siedziała. Jak o tym pomyślałam to aż mi nogi podcieło. Żeby tylko Annie nie rzucała czarów tak jak babcia, pamientasz?

No, musze kończyć i robić pranie więc pozdrój Ricka ode mnie i postarajcie się nam przysłać jakieś rzeczy jak bendziecie mogli. W każdym razie nasza Annie jest strasznie ładna, a oczy to ma takie bystre i okrągłe jak guziki. Założe się że kiedyś zrobi karierę.

Całuję mocno Melia